« L'Age mûr »
de Camille Claudel

Catalogue établi et rédigé par
Anne Pingeot
Conservateur en chef au musée d'Orsay
André Tissier
Liliane Colas
Germaine Trippier
Renate Flagmeier
Reine Marie Paris
Anne Rivière
Bruno Gaudichon
Conservateur au musée de Poitiers

MINISTÈRE DE LA CULTURE, DE LA COMMUNICATION,
DES GRANDS TRAVAUX ET DU BICENTENAIRE
ÉDITIONS DE LA RÉUNION DES MUSÉES NATIONAUX
PARIS, 1988.

Cette exposition
présentée au musée d'Orsay
du 27 septembre 1988 au 8 janvier 1989
et au musée des Beaux-Arts de Lyon
du 1ᵉʳ février au 30 avril 1989
a été réalisée
avec les services techniques du musée d'Orsay.

REMERCIEMENTS

Nous sommes heureux de remercier Hélène Angliviel de la Beaumelle, Nicole Barbier, Alain Beausire, Marie-France Bougie, Françoise Cachin, Robert E.M. Elborne, François Fossier, Paul Fournel, Jacqueline Guillot, Françoise Guilloteau, Virginie Herbin, Aïcha Kherroubi, Catherine Lampert, Marie-Agnès Le Bayon, Nicole Leloy, Patricia L'Hôte, Antoinette Le Normand-Romain, Laure de Margerie, Nathalie Michel, Jean-Michel Nectoux, Alain Pasquier, Claude Petry, Leone Pia, Hélène Pinet, Jean-Paul Pinon, Tamara Preaud, Jean-Pierre Rosier, Jean-Jacques Sauciat, Roland Schaer, Anne Schaefer, Patrice Schmidt, Bertrand Tillier, Philip Ward-Jackson, Véronique Wiesinger, qui ont contribué au catalogue et le service des expositions du musée d'Orsay, la régie, les ateliers, les installateurs et les marbriers qui ont assuré la mise en place des œuvres.

Nous remercions les prêteurs d'avoir consenti à se séparer de leurs œuvres et de nous en avoir autorisé la publication :

Archives Paul Claudel, Mme Renée Nantet Claudel, Mme Reine-Marie Paris pour tout l'ensemble du catalogue et particulièrement le chapitre III. **(Cat 32)** ;

Bibliothèque et Archives des musées nationaux, M. Jean-Marc Leri **(Cat 16)** ;

Bibliothèque des Arts décoratifs, Mme Geneviève Bonté **(Cat 21)** ;

Bibliothèque nationale, Mme Florence Callu, Mme Françoise Jestaz **(Cat 30 a - e)** ;

Bibliothèque Marguerite Durand-Ville de Paris, Mme Simone Blanc **(Cat 38, 39)** ;

Centre de documentation Claude Debussy, Mme Myriam Chimenes **(Cat 34)** ;

Collection René Demeurisse, exécuteur testamentaire de François Pompon, Mme Anne Demeurisse **(Cat 24)** ;

Collection Daniel Langlois-Berthelot **(Cat 35)** ;

Collection Jean Julien **(Cat 36)** ;

Collection André Tissier **(Cat 3, 13, 14, 17 à 20, 22, 23, 25, 31, 40)** ;

Musée d'Orsay, Photographie, M. Philippe Néagu **(Cat 33, 37)**, Sculpture **(Cat 1, 7, 10)** ;

Musée Rodin, M. Jacques Vilain **(Cat 2, 6, 9, 11, 12, 26 à 29)** ;

Société des Manuscrits et Autographes français, G.A.N., M. Claude Giraud **(Cat 15)** ;

et les collectionneurs particuliers qui ont souhaité garder l'anonymat **(Cat 4, 5, 8)** ;

© Éditions de la Réunion des musées nationaux, 1988
10, rue de l'Abbaye, 75006 Paris
© Spadem, Adagp, Paris, 1988

I.S.B.N. : 2-7118-2-207-9
I.S.S.N. : 0985-9802

SOMMAIRE

Je vais mettre un arbre penché qui exprimera la destinée.
Camille Claudel, lettre à son frère Paul **(Cat 15).**

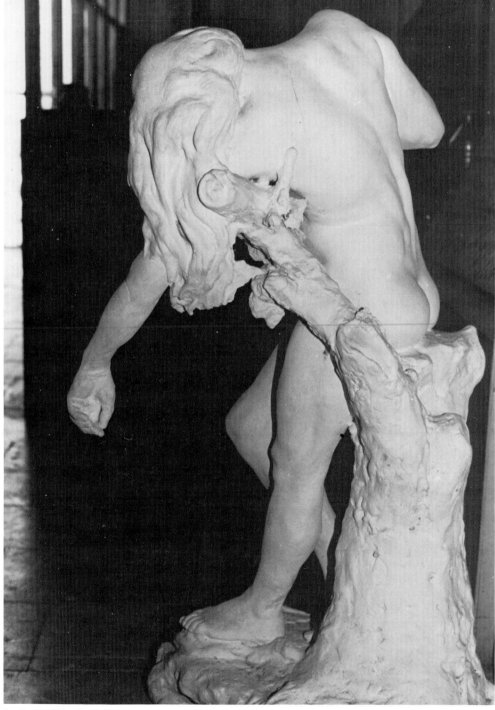

Camille CLAUDEL, *Niobide blessée*
Plâtre, acquis par l'Etat en 1906, déposé à Bougie en 1910. Bejaia, musée (Algérie).

Introduction

« Un portrait est un modèle compliqué d'un artiste » écrivait Baudelaire dans son Salon de 1845[1]. L'autoportrait peut simplifier ou multiplier les difficultés. Pour Camille Claudel, elles s'alourdirent d'une biographie jouée par des figures mythologiques ou allégoriques.

De la *Clotho*, la Parque qui file nos jours, à *L'Age mûr*, la tragédie est à jamais nouée, ces deux autoportraits, prenant en compte la prémonition et le temps.

André Tissier, grâce à qui nous avons pu acheter le premier bronze de *l'Age mûr*, celui qui figura au Salon de la Société nationale des Beaux-Arts en 1903, celui que l'Etat n'avait pas su commander — l'arrêté est toujours « en

Les notes se trouvent page 76.

attente » aux Archives nationales — a éprouvé le besoin d'écrire son histoire d'une œuvre que son père avait fait naître, obérant sa solde de capitaine du prix de la fonte, et qu'il a su garder jusqu'à ce jour glacé d'octobre 1980 où nous l'avons vue pour la première fois au château de Marzilly (Fig 1).

Ce texte personnel, qui insère *l'Age mûr* au milieu des personnages, gravitant à la charnière du siècle, pose pour la première fois, le problème des relations triangulaires entre *Celle qui fut la Belle Heaulmière* de Rodin[2], *La Misère* de Desbois, et la *Vieille Heaulmière* de Camille Claudel.

Paul Gsell en 1922, du vivant de Desbois, rapporta une anecdote souvent répétée : « Quand Rodin avait vu la *Misère* en glaise, dans

Fig 1
Château de Marzilly (Marne). Au-delà de l'étang, statue de *Pomone*.

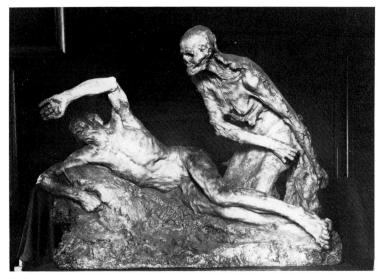

Fig 2

l'atelier de Desbois, il était demeuré muet de saisissement, et soudain lui vint le désir de rivaliser avec son confrère. Il voulut façonner une statue du même style. Il demanda l'adresse de cette Parque édentée. Elle s'appelait Caira : c'était presque le nom de Kère qui, en grec, désigne les « Sœurs filandières »[3] Dans le

récent catalogue des œuvres de Desbois, Véronique Wiesinger date la *Misère* entre 1887, date à laquelle Desbois commença à travailler à *La Mort et le Bûcheron* (Fig 2) et 1889 « si l'on accepte la postériorité de l'œuvre de Rodin »[4]. J.-L. Tancock, dès 1976[5], avait fait remarquer la similitude avec le décor d'un vase de Sèvres,

Fig 3

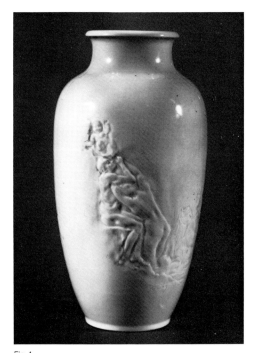

Fig 4

Cat 11   Fig 5

Fig 2
Jules DESBOIS
La Mort et le Bûcheron
Plâtre, don de l'auteur au musée d'Angers, 1896 (détruit) — le bronze déposé par l'Etat, en 1897, au musée de Lyon, a été fondu pendant l'Occupation.

Fig 3
Auguste RODIN, Jules DESBOIS
Les Limbes et les Syrènes

Fig 4
Auguste RODIN
Vase Saïgon
Porcelaine
Paris, musée Rodin.

Cat 11
Auguste RODIN
Celle qui fut la belle Heaulmière
Bronze, 1890.

Fig 5
Auguste RODIN
Porte de l'Enfer, détail du pilastre gauche : la *Vieille Femme.*
Plâtre, 1880-1917, Paris, musée d'Orsay, dépôt du musée Rodin.

* Les notices détaillées des œuvres exposées **(Cat)** se trouvent p. 84.

appelé *Les Limbes et les Syrènes*, reproduit en 1907 par Roger Marx (Fig 3) que nous citons : « Rodin était admis à faire partie du personnel extraordinaire, non permanent de la Manufacture, au traitement mensuel de 170 F et à 3 F de l'heure ; sa collaboration prend date en juin 1879, pour se terminer à la fin de 1882... Plus tard, la Manufacture éditera encore trois vases... si la composition du décor est bien de Rodin, l'exécution a Desbois pour auteur (1887). »[6]. Cependant, Tancock date entre 1880 et 1883 *Celle qui fut la Belle Heaulmière* **(Cat 11)***. Pourquoi a-t-il exclu l'hypothèse de 1887 ? L'état des travaux, publié par Roger Marx, pour les années 1879 à 1882, ne mentionne pas le titre des *Limbes et les Syrènes*, et les seuls vases « Saïgon » cités, sont décorés de « deux cartouches têtes homme et femme »[7]. De plus la légende de sa planche XVII, précise « fragments des vases exécutés en collaboration par Rodin et Desbois ».

Tamara Preaud, archiviste de la Manufacture de Sèvres, qui ne laisse jamais sans réponse les demandes les plus difficiles avait, seule, la clef de ce mystère. Elle a repris toutes les archives. Le patient repérage des mentions concernant Rodin lui permit de conclure que les *Limbes et les Syrènes* appartenaient à un groupe d'œuvres exécutées entre 1888 et 1889[8]. C'est donc sur *La Porte de l'Enfer* (Fig 5) qu'apparaît pour la première fois cette *Vieillesse* en relief puisqu' elle figure de profil au bas du pilastre gauche. On l'aperçoit sur la photographie de l'album de Jessie Lipscomb dédicacé «*A mon cher ami et grand maître, Monsieur Auguste Rodin de son élève Jessie Lipscomb, sept. 1er 1887* » **(Cat 29)**.

Les *Sources Taries*, présentées à l'exposition Monet-Rodin, Galerie Georges Petit en 1889, sous le titre *Bas-relief. Deux vieilles femmes. L'une d'elles est à modifier*, utilisent la répétition en ronde-bosse de la femme âgée que Rodin présenta en plâtre à Angers, cette même année 1889.

Fig 6

Cat 29

Fig 7

Fig 7, détail.

Le travail universitaire récent de Jacqueline Guillot, dirigée par Bruno Foucart, sur *Victor Peter*, sculpteur et praticien de Rodin, nous donne une information neuve. Victor Peter écrit, le 17 janvier 1890 :

« Cher Monsieur Rodin, j'ai oublié deux choses hier en vous quittant : la première, de vous remercier pour l'esquisse que vous avez bien voulu me donner ; la seconde de vous dire que je serais très désireux d'exécuter soit un buste ou un morceau de nu de vieillard très ridé et accentué ; une chose qui ressemblerait si je

puis m'exprimer ainsi "à un moulage *sur nature en marbre*". Il a été souvent question de cela avec M. Falguière mais je n'ai eu occasion jusqu'à présent de faire pour lui dans cet ordre d'idée que le buste du Cardinal de Bonnechose et celui de la Baronne Dauménil (sic) (Fig 6). Il me semble qu'il y aurait quelque chose de bien intéressant à faire dans ce genre mais avec une poitrine ou une partie du torse nu. Pensez à moi pour cela, j'y mettrai tous mes soins, quelque chose par exemple comme le torse de vieille que je voyais chez vous hier. J'ai beau être très pressé, il me semble que je trouverais le temps pour un semblable travail.

Agréez je vous prie cher Monsieur Rodin les amitiés de votre tout dévoué.

Vtor Peter »

Le 22 janvier 1890 Rodin répondait : « La vieille va venir à Paris ces jours-ci je l'ai fait revenir d'Italie vous aurez donc la nature autant que vous voudrez pour continuer mon travail. » C'est le modèle qui avait déjà posé pour la *Porte de l'Enfer*, le *vase Saïgon* et les *Sources Taries*.

Victor Peter tailla le marbre de *l'Hiver*,

Cat 29
Jessie LIPSCOMB
Porte de l'Enfer photographiée dans l'atelier de Rodin avant septembre 1887. A gauche, coupée, la *Vieille Femme*.

Fig 6
Alexandre FALGUIERE
Baronne Daumesnil. Marbre, 1879
Saint-Denis, Légion d'honneur, dépôt du musée d'Orsay.

Fig 7
Auguste RODIN
L'Hiver
Marbre, 1890, coll. part.

variante de la « Vieille Femme », agrémentée d'une branche de houx (Fig 7) qui fut exposé en décembre 1890, chez Durand-Ruel. Au printemps de 1890 sa *Mort*, en plâtre, figurait avec la *Vieille Femme*, ronde-bosse en bronze de Rodin, au Salon de la Société nationale des Beaux-Arts. *L'Hiver* fut acheté aussitôt par Emile Boivin, comme l'annonça lestement Rodin à Peter, le 14 janvier 1891 : « J'ai vendu la vieille. »[9]

Ces dates tardives permettent de joindre Camille Claudel au duo Rodin-Desbois. Ce goût réaliste pour l'étude des rides a de nombreux antécédents — il suffit de citer la *Marie-Madeleine* de Donatello (Fig 8) ou le *Voltaire* de Pigalle. Mais l'intérêt renouvelé dans les années 80 avait atteint Camille Claudel, dès 1882, quand elle modelait la *Vieille Hélène* avant de connaître Rodin (Fig 9) ou dessinait plus tard des

Fig 9

femmes des Vosges (1885) et de l'île de Wight (1886) (Fig 10, 11 et infra 31 A-B-C-D).

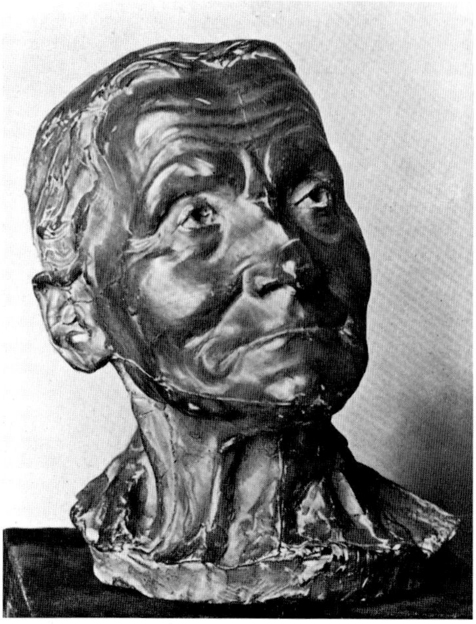

L'hypothèse d'A. Tissier est plus qu'intéressante, elle est devenue plausible. Nous la prolongerions volontiers. Si Camille a travaillé d'après le même modèle, Marie Caïra, soit vers

Fig 8

Fig 8
DONATELLO
Marie-Madeleine. Bois, 1454-1466
Florence, museo dell'Opera del Duomo.

Fig 9
Camille CLAUDEL
La Vieille Hélène. Plâtre, 1882
L'Art décoratif, 1913.

Fig 10
Camille CLAUDEL
Femme de Gérardmer (Vosges)
Fusain, 28 août 1885, *L'Art,* 1886, t. XLI, p. 67.

Fig 11
Camille CLAUDEL
Femme de Gérardmer (Vosges)
Fusain, 29 août 1885, *L'Art,* 1886, t. XLI, p. 67 (l'original a été donné par A. de Rothschild au musée de Honfleur en 1901).

Cat 3
Camille CLAUDEL
Tête de femme âgée
Bronze, 1902.

Cat 7
Camille CLAUDEL
L'Âge mûr. Bronze, 1903 (détail).

Fig 10

Fig 11

1887, soit en 1890, le visage qu'elle en tire, lui sert, davantage pour la petite tête **(Cat 3)** que pour la figure de la *Vieillesse* dont les joues rondes rappellent la *Vieille Hélène* et qui entraîne l'homme de *l'Age mûr*. Cette petite tête, en revanche, nous paraît proche du visage de l'homme **(Cat 7)**, le corps de Marie Caïra serait celui de *Clotho* exposée au Salon de la Société nationale des Beaux-Arts de 1893.

L'année suivante, Jules Desbois présentait *La Misère* en plâtre qui fut acquise par l'Etat et déposée au musée d'Angers (Fig 12). En 1895, Armand Silvestre, inspecteur des Beaux-Arts, découvrait dans l'atelier de Camille Claudel le plâtre de *l'Age mûr* qu'il commandait. Un an après, au Salon de la Société nationale des Beaux-Arts de 1896, Desbois exposait *La Misère* en bois qui se trouve aujourd'hui au musée de

Cat 3

Cat 7

Fig 12

Fig 13

Nancy (Fig 13) et Rodin la *Vieillesse et Adolescence* **(Cat 36)** qui deviendrait *La Jeunesse triomphante* (Fig 14). Il y a une prolongation du sujet, avec *La Parque et la convalescente* de Rodin[10]. Sa « Vieille femme » reçut le nom de la troisième des Parques, Atropos, celle qui tranche le fil. Rodin, par compassion, lui fit lâcher ses ciseaux. En janvier 1901, Camille Mauclair demanda une photographie de la « *Belle Heaulmière* » : le titre avait, enfin, rejoint l'œuvre[11].

Le prix que Rodin attachait à cette création fut souligné par Bourdelle, qui représenta le maître appuyé sur ce fragment de pilastre, en 1910 (Fig 15).

Lucien Schnegg a repris le titre, mais sa *Belle Heaulmière*, antérieure à 1909, est bien en chair (Fig 16), plus tard, en revanche, chez H. de Bideran, la filiation semble certaine (Fig 17).

Dans ce creuset de l'atelier Rodin, les formes fécondaient souvent les idées. Pour Camille, sa vie qu'elle voulait diriger mais qu'elle ne put diriger, devint le modèle. Mais n'occultons-nous pas, grâce aux passions amoureuses plus romantiques, les tensions d'une structure familiale bourgeoise du XIXᵉ siècle ? Comme

Fig 12
Jules DESBOIS
La Misère. Plâtre
Catalogue illustré du Salon, S.N.B.A., 1894, p. 188.

Fig 13
Jules DESBOIS
La Misère. Bois, 1896
Nancy, musée des Beaux-Arts.

Cat 37
Eugène DRUET
La Jeunesse triomphante
Photographie, épreuve argentique, ap. 1894.

Fig 14
Catalogue de la maison Thiebaut frères, Fumière & Cie successeur. S.D. (après 1900), p. 13.
Paris, coll. de G. Thiebaut

Fig 15
Antoine BOURDELLE
Rodin
Bronze, 1910
Paris, musée Rodin.

Fig 16
Lucien SCHNEGG
La Belle Heaulmière. Bronze, avant 1909
Paris, musée d'Orsay.

Fig 17
Baron H. de BIDERAN
Vieille Femme. Plâtre, coll. part.

Cat 37

Fig 15

F.V. Grunfeld le souligne, « Camille a vécu vingt ans sans Rodin ».[12]

Comment ne pas s'étonner des concordances de date entre les principaux événements familiaux, et les états de santé de Camille Claudel ou de ses parents :

1886, 25 décembre, Paul (Cat 30D) se convertit quand flambe la passion de Camille et d'Auguste.

1888, C. Claudel (Cat 30C) quitte le domicile paternel — d'où le père était si absent — lorsque sa sœur cadette, Louise, épouse Ferdinand de Massary.

1891, Paul s'installe 43, quai Bourbon, dans

Hébé
par Rodin ✳. Médaille d'Honneur.
Hauteur 0m68/0m75 . 1.280 fr.

Jeunesse triomphante
par Rodin ✳.
Hauteur 0m52 ...... 1.325 fr.

Ganymède
par Rodin, Hors Concours.
N° 1. Hauteur 0m60 . 1.050 fr.
N° 2. — 0m42. 450

Fig 14

Fig 16

Fig 17

Cat 30 D

Cat 30 A

Cat 30 C

l'île Saint-Louis. C'est au 19, quai Bourbon que C. Claudel aura son dernier logis de femme libre.

1904, 2 août, Louis Prosper Claudel **(Cat 30A)** écrit à son fils : « C'est avec un crève-cœur que je laisserai Camille à son isolement. Quel malheur que ces discussions, ces discordes en famille, cause d'immense chagrin pour moi. Si tu pouvais m'aider à rétablir l'harmonie, quel service tu me rendrais ! »[13]

1906. Les symptômes de maladie mentale s'accentuent quand Paul épouse Reine Sainte Marie Perrin. Ils s'aggravent tandis que quatre enfants naissent au foyer de son frère. Elle ne crée plus.

1913. Mort du père, Camille est aussitôt internée.

A cette lecture, on peut opposer l'analyse bien menée de Marie Victoire Nantet « Camille Claudel : un désastre fin de siècle » qu'elle étaye par l'étude de l'œuvre. Camille Claudel « perd son pari formel en poursuivant son projet autobiographique (tandis que) les autres sculpteurs de sa génération animés de la même exigence le gagnaient. Elle n'avait pas en elle le désir esthétique de la simplification archaïque et de la perte du sujet qui est un des moteurs des métamorphoses de la sculpture de son temps... 1905 enregistre, au moment où tout

bascule dans une autre direction... le déphasage de l'artiste... formulant sa vie d'avance par la médiation de l'œuvre ne se trouvait-elle pas comme contrainte de la vivre comme elle fut préconçue ?... la folie apparaît comme une stratégie positive de l'inconscient pour sortir de l'impasse. » Marie Victoire Nantet conclut en citant une réflexion de Matisse à propos d'un autre sujet : « Si le combat lui est fatal, c'est que tel devait être son sort. » Cet a priori avant-gardiste (et volontariste !) dessine avec fermeté, le portrait d'un échec.

Il n'y a pas de vérité absolue, et les Camille Claudel sont aussi nombreuses que ses portraitistes — qu'ils soient sculpteurs, peintres, ou écrivains car chacun projette sur elle, sa personnalité. Aussi, nous avons essayé de procéder par accumulation.

Cat 30 D
Atelier CARJAT
Paul Claudel. Photographie.

Cat 30 A
Atelier CARJAT
Louis-Prosper Claudel. Photographie.
Maquette de livre faite par H. Cartier-Bresson.

Cat 30 C
Camille Claudel. Photographie.

Autour de l'étude d'A. Tissier, nous avons rassemblé le portrait que Rodin nous a laissé de Camille c'est-à-dire la reproduction juxtaposée des bustes qu'elle lui a inspirés et la publication des lettres à Jessie Lipscomb, conservées par son petit-fils M. Robert Elborne — que nous remercions chaleureusement —, le portrait que son frère Paul esquissa au long de son *Journal* — ceci grâce à l'aimable autorisation de la famille Claudel et de la maison Gallimard. Des portraits de praticiens sont brossés, Ernest Nivet, par Bertrand Tillier et François Pompon, par Liliane Colas. Nous avons dit plus haut, tout ce que nous devions à Jacqueline Guillot, à propos de Victor Peter.

Enfin il nous a semblé utile de regrouper pour la commodité de la consultation, quelques vues des écrivains de son temps.

Pour notre époque, nous avons réuni un portrait graphologique dressé par Germaine Trippier, l'analyse de deux autoportraits précédant l'*Age mûr*, *Clotho* par Renate Flagmeier et le *Dieu envolé* par Reine Marie Paris qui a eu le bonheur de retrouver cette œuvre perdue. Anne Rivière voit dans l'*Age mûr* un portrait funéraire. Elle se rapproche de Jacques de Caso et Patricia Sanders qui classent la *Jeunesse triomphante* de Rodin — pendant inversé de l'*Age mûr*, parmi les *Memento mori*. Bruno Gaudichon, l'organisateur avec Monique Laurent, de l'exposition de 1984 au musée Rodin à Paris et au musée Sainte-Croix à Poitiers, survole pour nous, la réception des portraits de Camille Claudel en quatre ans (1984-1988).

Nous aimerions conclure par un « portrait parallèle » dessiné par quelques réflexions de Catherine Pozzi sur Paul Valéry[14]. Cette rencontre de qualité aussi exceptionnelle que celle de Camille Claudel avec Auguste Rodin — dans un autre registre —, nous aide à comprendre une situation, où les analogies ne manquent pas, Catherine Pozzi pétrissant les mots, comme Camille Claudel la terre[15].

1923

8 janvier « ... resurgit... une ancienne Catherine, celle qui fut janséniste et ne mentit pas. Celle-là ne peut supporter d'être jamais officiellement, socialement, la "maîtresse", encore que vous lui promettiez un salon, et malgré la situation, le "respect" ! Celle-là n'a pas changé.

C'est un monstre de fierté comme autrefois, et elle refuse. »

11 janvier « ... Il ne quitte pas ces cent cinquante gens du monde qui le voiturent et le nourrissent, et parfois paient... et ne le croient pas leur égal. »

12 février « ... Ah, je crains qu'il vous soit difficile de retrouver avant longtemps une vivante à votre mesure... »

25 février « Nous allons nous perdre, nous qui avons été produits l'un de l'autre, et à cause de ceci seulement qu'il ne vous plaît pas de me promettre que vous ne m'abandonnerez plus. Je ne vous ai pas prié pour autre chose de plus difficile... »

22 décembre « ... Etre ou ne pas être : il faut que j'imprime. Sans cela, ni rang, ni nom, ni place, ni amis. Et puis, il me semble que quelqu'un m'aime moins, parce que j'existe moins... »

30 décembre « ... Donner ma moelle qui sera mangée sous un autre nom. Et enfin, quoi que je publie, plus tard, être sûre que l'on l'attribuera à « mon maître ». (Il ne fut jamais mon maître. Il fut mon frère, mon pareil, ma tendresse très pure. Ce n'est pas la même chose)... »

1927

25 janvier « ... Nous sommes "de Lettres", donc ennemi ou voleur ? Allons, allons, personne ne vous a fait remarquer que l'avant-dernière page de *Rhumbs* appartenait, tout inventeur que vous soyez, à quelqu'un d'autre... »

6 février « ... Comme je suis dans votre vie pour briller au travers, obscure — le voilà bien, le spectre d'absorption ! —... »

« Ce spectre de l'absorption » pour Camille Claudel avait deux visages. L'un désiré, celui du mariage — seule solution dans ce cadre familial du XIXᵉ siècle — [16], l'autre haï, celui pour lequel elle a choisi la rupture. De cette rupture *Clotho* et l'*Age mûr* qui en sont le fruit, justifient une existence.

Anne Pingeot

I

L'Âge d'or, l'Âge d'airain, l'Âge mûr

L'Âge d'or

1861 : Marcellin Berthelot, à 34 ans, vient de faire paraître des travaux relatifs à la reproduction artificielle des substances chimiques par voie de synthèse.

1864 : naissance de Camille Claudel. Premier Villeneuve. Six années se passent. La guerre de 1870 est évoquée par Arthur Rimbaud dans le *Dormeur du Val.* La vie s'écoule : révolte, vertige, nostalgie... *Le Bateau ivre* s'inspire du reflet du soleil dessinant une voile blanche sur la voûte du Vieux-Moulin enjambant le « Fleuve impassible », cette voile calme que je découvrais encore en 1940, avant la bourrasque.

1873 : *Une Saison en Enfer,* sur laquelle Rimbaud dissimulera toujours ses intentions, mais qui aura sur Paul Claudel l'effet d'une ouverture. Quatre ans plus tard, Rodin choisit le titre de *L'Âge d'airain* pour une sculpture discutée, puis renommée : il a 37 ans. Et, en 1894, Camille Claudel appelle *L'Âge mûr* le premier projet du *Chemin de la Vie :* elle a 30 ans, et Rodin 54.

L'âge mûr, les trois âges, trois personnes pour une vie. Sur trois fils qui s'enchevêtrent, trois chemins qui se croisent et s'étirent devant une draperie sur un socle, une voile sur une vague. L'âge mûr ira vers le soleil, la jeunesse vers l'ombre et l'oubli à l'encontre du déroulement normal d'une vie terrestre.

1880 : Au Salon des Artistes français, Rodin expose le bronze de *L'Âge d'airain* que l'Etat achète. Rodin reçoit la commande de la *Porte de l'Enfer.*

1881 : Verlaine vient de faire paraître un volume de poésie *Sagesse..* Rimbaud dirige des expéditions du Somal au Wabi et pénètre dans l'Ogaden.

1883 : année de la mort de Wagner et de Manet. Rodin perd son père. Il exécute le buste de *Victor Hugo.* Il rencontre Camille Claudel **(Cat. 21).**

1884 : Rodin donne des cours à l'Atelier de la rue Notre-Dame-des-Champs... « qu'elle partage avec trois amies anglaises, étudiantes libres des Beaux-Arts, probablement rencontrées à l'Académie Colarossi. L'une d'elles,

Cat 21

Fig 18

Cat 3

at 11

Cat 9

Jessie Lipscomb, devait rester son amie intime » (Fig 18)[17]. L'atelier n'était pas loin, dans ce quartier de Paris, de l'Ecole alsacienne qui venait d'ouvrir ses portes, dix ans auparavant et qui rendra célèbre le 109, rue Notre-Dame-des-Champs. Rodin qui, à cette époque, avait 44 ans, sculpte *L'Eternel Printemps* et compose le premier projet des *Bourgeois de Calais*.

Cat 21
CESAR
Camille Claudel, Revue encyclopédique Larousse
28 nov. 1896.

Fig 18
Jessie Lipscomb, Camille et Louise Claudel
Dans l'atelier de J. Lipscomb
Coll. de M. R. Elborne.

Cat 11
Auguste RODIN
Celle qui fut la Belle Heaulmière. Bronze, 1890.

Cat 9
Jules DESBOIS
La Misère. Terre cuite.

Cat 3
Camille CLAUDEL
Tête de femme âgée. Bronze, 1902.

1885 : le fils, qu'il a de sa maîtresse Rose Beuret, part pour le régiment à Nancy. Camille Claudel, vient d'avoir 21 ans. Elle entre comme « praticienne à l'atelier de la rue de l'Université au Dépôt des Marbres et là, les visiteurs pourront les voir côte à côte dans leurs blouses tachées d'argile ». C'est ainsi qu'Anne Rivière évoque ce début où les chemins se croisent vraiment[18].

Un couple pour l'art

Symbiose des œuvres : la vieille Heaulmière

Il y a dans l'atelier une femme, qui fut très belle et qui garde avec l'âge une superbe grandeur. Rodin et Jules Desbois travaillent avec ardeur devant cet inoubliable modèle. Camille, pour la première fois, met avec eux sa main à la glaise, mais elle n'œuvre que sur la tête ridée, qui concentre toute son attention de femme. Rodin et Desbois traitent, eux, avec leur sensibilité d'homme, tout le corps desséché.

Et voilà trois œuvres touchantes et différentes : *Celle qui fut la Belle Heaulmière*, qui fut, oui, dans tout l'éclat de sa beauté, chère à Villon, rendue par Rodin avec son corps flétri, mais dont la tête trop lisse semble rajoutée **(Cat 11)**. *La Misère* de Jules Desbois, émouvante à la structure dépouillée **(Cat 9)**. *La Vieille Heaulmière* de Camille Claudel, réduite à sa tête sillonnée de rides profondes **(Cat 3)**.

Auguste Rodin a 45 ans, Jules Desbois a 30 ans, Camille Claudel 21 ans.

Il faut relire François Villon (1431 — ap. 1463) dans sa présentation d'Auguste Longnon et les deux poèmes qu'il date de 1461[19].

« Les regrets de la Belle Heaulmière ja parvenue à vieillesse »

« Ballade de la Belle Heaulmière aux filles de joies »

    « Quant me regarde toute nue,
    Et je me voy si très changiée,
    Povre, seiche, megre, menue,
    Je suis presque toute enragiée.

    ...

    Le frond ridé, les cheveux gris,
    Les sourcils cheus, les yeux estains,
    Qui faisoient regars et ris
    Dont mains marchans furent attains

    ...

    Assises bas, a crouppetons,
    Tout en ung tas comme pelotes,
    A petit feu de chenevotes
    Tost allumées, tost estaintes... »

Dans cette même année 1885, Rodin continue à travailler sur les couples qui entrent et qui sortent de la *Porte de l'Enfer*, comme celui qui deviendra *Le Baiser* et réalise le premier portrait de son assistante Camille Claudel. Depuis 1884, son activité est étourdissante. Jusqu'en 1888, il va travailler au monument de Calais. Nous sommes en 1347, nous ne quittons pas l'époque de la *Belle Heaulmière*.

Il lit dans Froissart :

« Tels défilèrent — Eustache, Jean d'Aire, Jacques et Pierre de Wiessant, Jean de Fiennes et Andrieu d'Andres, lorsqu'on les vit quitter la ville pour s'offrir à la merci du vainqueur [le roi d'Angleterre], les chefs nuds, les pieds déchaux, la hart au col, les clefs de la cité et du chastel entre les mains. »[20]

Rodin propose, en 1885, un deuxième projet. Il a étudié séparément des mains, des pieds, des têtes, dont certaines sans doute sont de

Cat 10

Camille, car Rodin lui a confié le soin de modeler ces parties, oh combien difficiles, de beaucoup de ses personnages, comme l'indique Mathias Morhardt, dans son article, de 1898, du *Mercure de France*[21]. Camille, elle, sculpte son *Giganti* ou *Tête de brigand*.

1886, Paul Claudel, qui a 18 ans et dont l'affection pour sa sœur se trouve profondément troublée par la liaison de Camille avec Rodin, se convertit à Notre-Dame de Paris. Sa sœur lui offre une bible. C'est l'année de la *Sonate* de César Franck et de la mort de Liszt. Rimbaud, que Claudel admire toujours, a 32 ans. Il a sur lui une influence « quasi séminale ». Il aperçoit en lui « une figure sainte, la démarche d'un jeune damné vers la rédemption ». D'autres interprètent cette brève existence, traversée par un éclair de génie, comme l'expression de la révolte, tête grimaçante et

Cat 10
Auguste RODIN
La Pensée. Marbre, 1886-1895.

Fig 19
Jessie Lipscomb visite son amie Camille Claudel à l'asile de Montdevergues, vers 1931
Coll. de M. R. Elborne.

sensuelle, comme la Méduse que tient Persée à bout de bras »[22]. Il vient de publier dans *La Vogue, Les Illuminations.* S'il rêve à la « Pensée libre », comme le dit Daniel Verstraëte, un des commentateurs, ce n'est pas encore un retour à la religion[23].

Rodin, dont la passion pour Camille grandit, fait sculpter la *Pensée* par Victor Peter (1840-1918). La tête de Camille se dégage à peine d'un bloc grossièrement dégrossi **(Cat 10)**. Il termine *Le Baiser.*

Camille modèle *L'homme penché,* dessine au fusain un portrait de Rodin et un portrait de son amie Jessie Lipscomb, celle, si fidèle, que l'on découvre auprès de *Camille à l'asile,* sur une photographie de 1931 (Fig 19).

1887, Camille mène plusieurs travaux de front, comme un jardinier soigne, en les veillant, chaque plante suivant le moment et le climat. Des linges mouillés tiennent les glaises humides. Elle commence un portrait à l'huile de Rodin, puis ceux de Maria Paillette, d'Eugénie Plé, de Victoire Brunet, et, au pastel, celui de Louise de Massary, sa sœur.

Pour se détendre, elle sort, va aux « Mardis » de Mallarmé et, sans doute, y rencontre pour la première fois, Claude Debussy **(Cat 33)**. Bien des choses rapprochent les deux jeunes gens, elle a 23 ans, lui 25. Il a été l'élève de Mme Verlaine, professeur de piano. Elle a lu et aimé Rimbaud ; Villon est l'un de ses poètes préférés. Achille-Claude écrira en 1910 la musique de cette page de Villon *Dame du ciel, régente, terrienne,* qui commence la Ballade que Villon « feist à la requeste de sa mère, pour prier Notre-Dame ».

Plus tard, en 1903, Achille-Claude écrit à Pierre Louÿs, dans une lettre citée par François Lesure :

« On dira ce qu'on voudra... Un Villon vaut mieux qu'une canne ! Et ma joie de le recevoir s'augmente de ce qu'il soit de ta bibliothèque ; non pas que son rude vocabulaire s'en trouve adouci, mais à un point de vue Claude Debussy il en devient d'autant plus précieux... »[24]

Dans des ateliers où se trouvent séparés ou réunis des recherches de Camille Claudel et d'Auguste Rodin, on remarque toujours *La Vieille Heaulmière,* des têtes, des pieds, des

Fig 19

Fig 20

Mlle CAMILLE CLAUDEL.
*Une des plus intéressantes physionomies de femmes artistes de
ce temps. Elle envoie cette année Vertumne et Pomone, un
marbre, remarquable par sa grâce et sa puissance.*

Fig 20 bis

mains, des corps épars, ce qui rend difficile l'explication d'une logique chronologique absolue. Un même modèle inspire plusieurs artistes chez lesquels on sentira alors un lien de parenté, mais non de copiste. *La Porte de l'Enfer* mûrit dans l'esprit de Rodin en même temps que les *Bourgeois de Calais*. On retrouvera dans la *Porte*, le groupe de *Persée et Méduse*, de la *Belle Heaulmière*, de *Paolo et Francesca*, de la *Martyre*, du *Fugit Amor*, etc.

En 1888, Camille s'attaque au magnifique *Buste de Rodin* (infra Fig 34) qui sera exposé au Salon du Champ-de-Mars de 1892, tandis que lui, modèle le beau visage de Camille. Elle esquisse *Cacountala*, avec lequel elle obtient, pour le plâtre patiné, une « Mention honorable » au Salon des Artistes Français de 1888. Est-ce ce groupe qui inspirera Henry Bordeaux, dans *Andromède et le Monstre*, qui sera l'occasion d'un premier point de rupture ? Pas encore. Cette œuvre marquante sera fondue plus tard en bronze par E. Blot et traduite en marbre (Fig 20, 20 bis). Citons aussi un *Torse de femme debout* dont on n'a pu retrouver la trace et un portrait au pastel de Paul Claudel.

1889. L'œuvre de Rodin prolifère. Pour la première fois, le groupe des *Bourgeois de Calais* est exposé, Galerie Georges Petit (exposition Monet-Rodin) avec le *Bastien-Lepage*. Il reçoit les commandes du monument à *Claude Lorrain* pour Nancy, du *Victor Hugo* pour le Panthéon.

Camille Claudel, elle non plus n'arrête pas son activité dévorante et c'est *La Prière*, dite aussi *Le Psaume*, fondu par A. Gruet aîné, exposé en bronze au Salon de la Libre esthétique de Bruxelles en 1894, le buste de *Charles Lhermitte enfant*, l'un des fils de Léon Lher-

Fig 20
Camille CLAUDEL
Cacountala ou L'Abandon, L'Art décoratif
Juillet 1913.

Fig 20 bis
Camille Claudel sculptant Cacountala
dit aussi Vertumne et Pomone
La Quinzaine illustrée, 30, 31 mars 1911.

Cat 14
Katsushika HOKUSAI
La Vague
Estampe.

mitte, le peintre et pastelliste renommé pour lequel elle a une estime amicale qui est réciproque. Elle entraîne Claude Debussy à l'Exposition Universelle où ils découvrent la *Vague en face de Kanagawa* d'Hokusaï. **(Cat 14)**

1890. *La Jeune Fille à la gerbe* de Camille, « offre une évidente ressemblance avec la *Galatée* réalisée par Rodin... si l'attribution du modèle à Camille Claudel est évidemment attirante, elle paraît toutefois difficilement défendable. »[25]

1890. C'est la « nouvelle communion » de Paul Claudel qui le relie « corps et âme » à Dieu, dont il sera le poète dans cette vaste somme de symbolisme chrétien. C'est aussi la disparition de César Franck que Rodin, passionné de musique, aimait beaucoup. César Franck, le « Séraphin » autour duquel gravitaient avec tant d'amour ses élèves « qui s'aimaient les uns les autres en lui, et par lui et, depuis quinze ans que le bon maître n'est plus là, sa bienfaisante influence n'a cessé de se perpétuer ».[26] L'année précédente ce fut la première audition des *Béatitudes*. Et toute la « bande à Franck », ses élèves dont Chausson, et par lui Debussy, puis Caplet, ont enrichi notre répertoire musical.

Rodin, en 1891, aura la joie d'exécuter le médaillon du célèbre « Séraphin » qui fut placé sur sa tombe en 1893.

De 1887 date le premier séjour de Rodin et Camille Claudel en Touraine. « Entre 1890 et 1893, Camille Claudel séjourne plusieurs fois au château de l'Islette, près d'Azay-le-Rideau. La propriété aurait été louée par Rodin pour y abriter une grossesse que sa jeune maîtresse ne put mener à terme[27] mais pour Frédéric V. Grunfeld le témoignage de Jessie Lipscomb établit le fait, longtemps supprimé, que Camille Claudel donna naissance à deux enfants illégitimes dont Rodin fut le père. Rodin aurait versé une pension sans désirer les reconnaître pas plus qu'il n'avait reconnu Auguste Beuret[28]. Pour Reine Marie Paris, un avortement est certain mais les deux naissances ne sont qu'invention[29].

Leurs amours sont loin d'être simples. Rodin continue de vivre avec Rose Beuret. Il en fait le portrait en marbre et un masque. En même temps, il sculpte Camille en *Aurore*, « cette tête parfaite, à peine dégagée de la matière qui l'entoure comme un nuage, porte en elle-même un tel éclat, une si intense lumière, qu'on ne peut lui refuser de se présenter sous l'aspect même de son titre »[30] (Infra Fig 24)

Toute la vie et la grâce se retrouvent dans le *Frère et la Sœur* de Rodin, est-ce un symbole ? A nouveau, des groupes sortent de la *Porte de l'Enfer*, *les Désespérés*, *le Désespoir*, ou du *Monument à Victor Hugo, Figure volante, Iris*.

Les sujets de Rodin deviennent plus dramatiques : *la Convalescente*, 1885 (Infra Fig 27), *L'Adieu* (Infra Fig 28), *Orphée implorant*, 1892, *Le Christ et la Madeleine*, 1894.

Pendant ce temps-là, Claude Debussy **(Infra Cat 33)** fréquente de plus en plus les écrivains et les artistes chez lesquels il revoit Camille Claudel. Il a quitté Mme Vasnier mais vit une aventure sentimentale, avant de partager sa misère de 1892 à 1898, avec Gaby Dupont.

Le 13 février 1891, Claude Debussy écrit à Robert Godet, cette lettre déchirante à propos d'une aventure sentimentale restée mystérieuse : « La fin tristement inattendue de cette histoire dont je vous avais parlée... j'ai laissé beaucoup de moi, accroché à ces ronces, et serai longtemps à me remettre à la culture personnelle de l'art qui guérit tout ! »[31] (*Cf.* Chapitre VI.)

On peut ajouter au dossier le mépris de Claude Debussy pour Rodin, ce sculpteur au « romantisme faisandé »[32].

Arthur Rimbaud, lui, écrit à sa mère en 1890, le 10 août : « Pourrai-je venir me marier chez vous au printemps prochain... » (il est à Djibouti) — « Croyez-vous que je puisse trouver

Cat 14

Cat 4

Cat 2

quelqu'un qui consente à me suivre en voyage ? »[35] et, en pleine prospérité, il se sent atteint d'une tumeur au genou, en février 1891. Il se convertira grâce à sa sœur Isabelle, et achèvera sa vie tourmentée le 10 novembre 1891. Il avait 37 ans.

Un destin s'achève, d'autres continuent, se côtoient.

Pour Camille Claudel, pendant la même période, un vaste vide se crée, puis s'approfondit et tout à la fois se comble par *La Valse* **(Cat 4)**[34], exposée plus tard au Salon du Champ-de-Mars de 1893 : cette sculpture spirale qui ornera toujours le piano de Claude Debussy qui, à partir de cette date, signera non plus Achille-Claude, mais Claude.

Puis ce sera *Clotho,* la plus jeune des Trois Parques, « comme une horrible quenouille, comme une graine dans le duvet, cachée dans la laine de ses cheveux fatidiques. Cette destinée fileuse de son propre écheveau, cette veil-larde gothique telle qu'une araignée emmêlée avec sa propre toile »[35] **(Cat 2)**. Mathias Morhardt ajoute à propos du marbre commandé en 1895 : « le petit corps de la Clotho est devenu net, riche, brillant comme un bijou » (Fig 21)[36].

Et, en 1893, Camille sculpte la *Petite Châtelaine,* qu'elle exposera, pour la première fois, en 1894. Elle commence le buste de *Léon Lhermitte* et la *Confidence,* la *Femme à sa toilette* et, dans les années 1893 à 1895, la *Vague* (Fig 22), inspirée peut-être à l'origine par celle d'Hokusaï[37] **(Cat 14)**, qui aura aussi inspiré Debussy pour composer *la Mer* (1903-1905) — l'estampe, réinterprétée, figure en couverture de la partition.

En 1894, Camille ne se rend plus en Touraine, elle va l'été à Guernesey. Au cours de ce voyage, elle modèle cette petite statuette, *Le Peintre* « d'après des croquis qu'elle prenait, tandis que M. Y... (est-ce Léon Lhermitte ?) faisait des paysages de cet ordre »[38]. Camille a

Fig 21

Fig 21

trente ans. En 1893, Rodin s'est installé à Bellevue et Camille expose, en 1894, *Le Dieu envolé* **(Cat 5)**. Cette même année, Ernest Chausson cherche à procurer à Claude Debussy, qui est dans une très grande misère matérielle, des leçons de piano et de composition. C'est ainsi

Cat 4
Camille CLAUDEL
La Valse. Bronze, 1893-1905.

Cat 2
Camille CLAUDEL
Clotho. Plâtre, 1893.

Fig 21
Camille CLAUDEL
Clotho. Marbre, 1895, face et revers
L'Art décoratif, 1913.

Fig 22
Camille CLAUDEL
La Vague. Bronze et onyx, 1893-1898
L'Art décoratif, 1913.

Fig 22

Cat 5

Cat 39

que Debussy donne une audition de *Parsifal,* le 5 février 1894, au piano. Il commence aussi à composer sur le livret de Maurice Maeterlinck ses pages de *Pelléas et Mélisande* après avoir découvert ce charmant *Prélude à l'après-midi d'un faune* de Mallarmé (1865-1876) dont il écrivit la musique en 1892 et qui sera créé en 1894.

Camille Claudel, bien que profondément meurtrie, s'accroche à son art et sculpte *Persée et Gorgone* daté de 1899 pour le marbre **(Cat 38)**. L'inspiration remonte-t-elle plus loin ? Au *Persée et Méduse* de Rodin que l'on date de 1886 (Fig 23) — très différent ? et l'idée vient-elle du café *Le Persée* où se retrouvaient de nombreux artistes ? Quoi qu'il en soit, ce fut l'occasion pour Paul Claudel d'une belle tirade, découvrant chez sa sœur, l'artiste, un grain de folie.

1896. Mort de Verlaine.

D'autres destinées vont encore se croiser, en particulier celles d'un cercle de diplomates et d'écrivains devenus célèbres.

Un cercle d'amitié

Une parenthèse sur la famille Berthelot et sur Philippe Berthelot qui, comme le disait Jean Giraudoux, a rejoint définitivement cette « carrière des grandes ombres ». Philippe Berthelot fait partie du conseil de famille lors de l'inter-

Cat 5
Camille CLAUDEL
Le Dieu envolé. Plâtre, 1893.

Cat 39
Camille Claudel modelant le Persée
Photographie, vers 1900.

Fig 23
Auguste RODIN
Persée et Méduse. Bronze, 1887
Paris, musée Rodin.

Cat 35
Philippe Berthelot caressant un chat
Au fond, *Cacountala,* photographie.

Fig 23

et de la famille Claudel sont vraisemblablement anciens, au temps où les deux familles avaient des attaches et des résidences champenoises. Les Berthelot étaient propriétaires du Château de Baye, les Claudel avaient leur maison à Villeneuve-sur-Fère.

Baye était, en 1603, la propriété de Jean de L'On, dont la cinquième fille (il y en eut douze) fut célèbre sous le nom de Marion Delorme, qui y passera son enfance, avant d'être une des plus grandes séductrices du XVIIe siècle. La carrière de Philippe Berthelot se déroulera à l'administration centrale, « anéanti dans sa fonction [il] n'existe que par elle et pour elle »[41]. En 1915, l'abbé Mugnier le décrit ainsi : « Berthelot m'a paru fin, charmant, ne disant que ce qu'il pense, et pensant avec originalité. Il n'aime pas la mer qui lui fait l'effet de la "bêtise illimitée". Ni la montagne. Il aime surtout le désert... Berthelot est l'ami de Claudel. Il l'a rencontré d'abord à Fou-Tcheou. Ils se sont liés plus tard. Berthelot définit le genre de Claudel : "Un lyrisme éperdu et une contention, un résumé resserré qui va jusqu'aux moelles." Il faut le voir dans l'intimité, se promener avec lui. Claudel n'avait jamais été en Italie, Berthelot l'envoie à Rome. »[42]

nement de Camille Claudel — et cela, de 1913 à 1932, date à laquelle il demande à ne plus y participer.

Dans les cahiers de Jean Giraudoux, on lit ceci : « Non seulement Berthelot ne laisse ni journal, ni mémoires, mais aussi il passa les derniers jours de sa vie (c'est Claudel qui nous le rapporte dans les *Œuvres en prose*) à brûler tous ses papiers, tous ses carnets, toutes ses lettres... » et « de son vivant, Philippe Berthelot inspira les inimitiés les plus violentes et les attachements les plus fervents » **(Cat 35)**[39].

Doit-on aussi rapprocher ce que Jacques Cassar dit de Rodin dans le *Dossier Camille Claudel* : « Jusqu'à ce jour, aucune lettre de Rodin à Camille n'a été découverte. Le plus simple est de penser que tout a été détruit. »[40]

Et faut-il aussi constater que les lettres de Paul Claudel ont aussi disparu, ainsi que l'écrit Reine Marie Paris. Faut-il en dire autant de celles de Claude Debussy ou d'autres encore !...

Les rapports d'amitié de la famille Berthelot

Cat 35

On sait que le cercle d'amitié, grâce à Paul Claudel et par le biais du jeu de tennis, s'étendra à d'autres grands esprits du milieu littéraire, écrivains et éditeurs. Giraudoux qui excelle dans ce sport joue à côté du Parc Montsouris, en 1911, avec Alain-Fournier, Gaston Gallimard et Jacques Rivière. Le ministère des Affaires étrangères possède aussi à cette époque un tennis où Berthelot joue tous les matins avant de monter à son bureau. Giraudoux en fit l'inoubliable portrait de Dubardeau dans son roman *Bella*. Pour P. Claudel « il y avait dans cette famille extraordinaire, où chaque front était marqué d'une supériorité native, éclatante et indiscutable,... la conscience et la fierté d'un héritage splendide, la solidarité de toutes ces grandes conquêtes opérées par le droit et honnête moyen de la raison sur l'inconnu. »[43]

Continuons par ce qu'en dit Jacques Chastenet en 1963 : « En 1920, Berthelot devient secrétaire général et pendant de longues années avec une brève interruption au temps de Poincaré (Poincaré c'est le personnage de Redenbart dans *Bella*) ; il règnera despotiquement sur les bureaux du Quai d'Orsay. Avec son front surélevé, ses cheveux bouclés, ses yeux clairs, ses traits verticaux, sa parole martelée, sa courtoisie distante, Berthelot compose une figure que l'on n'oublie pas. Il s'est fait une clientèle ardemment dévouée parmi les diplomates que tourmente le démon littéraire : Jean Giraudoux, Paul Morand, Alexis Leger, Henri Hoppenot, d'autres encore. Son universelle curiosité se complaît aux ardeurs de la jeune littérature et son appartement du boulevard Montparnasse, où des chats siamois s'étirent dans chaque pièce, est devenu un des foyers intellectuels du Paris frémissant, cocasse et cynique, d'après la Première Guerre mondiale. »[44]

Mais revenons en arrière, à 1895. Paul Claudel part pour la Chine et, en 1899, il songe à abandonner la carrière pour obéir à sa vocation religieuse : il a 31 ans. C'est le temps de la grande épreuve : celle de la passion de 1900 à 1904, dont il exprime le cruel mystère dans le Cantique de Mesa du *Partage de Midi*, dédié à Philippe et Hélène Berthelot. « Je les ai rencontrés pour la première fois dans ce petit port de Chine où je remplissais les bizarres fonctions de consul, au cours d'une des plus sombres années de mon existence. »[45]

En 1905, tous les trois sont rentrés en France et Camille Claudel fait avec eux et les Franqui, un voyage dans les Pyrénées. Camille a 41 ans ; son frère, 37 ans ; Philippe Berthelot, 39 ans.

En 1906, Paul Claudel épouse Reine Sainte-Marie-Perrin, fille de l'architecte de la basilique de Fourvières, à Lyon. Il repart pour la Chine, à Tien-Tsin.

En 1913 (le 2 mars), le père de Camille et Paul Claudel meurt et Camille est placée le 10 mars dans un hôpital psychiatrique [46]. En 1920, d'après certains dictionnaires, elle est considérée comme décédée. En 1921, Paul Claudel est nommé ambassadeur au Japon, où il écrit *Le Soulier de Satin*. En 1933, Bruxelles est son dernier poste diplomatique, il a 65 ans. Camille est toujours à l'hôpital, elle a 69 ans.

En 1943, le 27 novembre, est créé *Le Soulier de Satin*, par Jean-Louis Barrault. Paul Claudel a 75 ans, et Camille 79 ans quand elle meurt à Mondevergues, près de Villeneuve-lès-Avignon, le deuxième « Villeneuve », après Villeneuve-sur-Fère, le 19 octobre 1943.

Sur les marches de l'immortalité « du vivant », seul, Paul Claudel, y accèdera en entrant à l'Académie française, en 1946.

Rodin, au lendemain de la visite de son ami Bonnat, pose sa candidature à l'Institut, le 9 novembre 1917. Il meurt le 24 novembre 1917, le jour fixé pour l'élection, soit 16 jours après.

Debussy, sur les incitations de Widor, envoie sa lettre de candidature à l'Institut, le 17 mars 1918. Il meurt le 23 mars 1918 (6 jours après).

Paul Claudel pose sa candidature à l'Académie française en 1935. C'était un an après la mort de Philippe Berthelot, emporté par une crise cardiaque au mois de novembre, mort qui avait beaucoup affecté P. Claudel. Claude Farrère lui est préféré. En 1946 P. Claudel sera élu, l'année de création du *Père humilié*. Il mourra neuf ans après, en 1955 et aura des obsèques nationales à Notre-Dame de Paris.

Cat 6

Le périple de L'Age mûr

Après ce tour d'horizon sur le milieu et l'époque, venons-en à ce qui est notre propos : ce groupe de *L'Age mûr* de Camille Claudel. Comme pour une médaille, nous regarderons l'avers et le revers.

L'avers de 1899 à 1903 avec :
— les étapes de la commande en bronze ;
— les stations du bronze ;
— les étapes de la vente à l'Etat du bronze.

Le revers de 1903 à 1973 : au bout du chemin de la *Vieille Heaulmière à l'Age mûr*[46bis].

1. L'avers

Les étapes de la commande en bronze.

1899. *L'Age mûr* de Camille Claudel est exposé au Salon de la Nationale, n° 28. Louis

Cat 6
Camille CLAUDEL
L'Âge mûr, premier projet
Plâtre, vers 1894.

Tissier, capitaine du Génie et polytechnicien, revient de Tunisie **(Cat 31)**. Son grand ami, Léon Lhermitte, le peintre et pastelliste renommé, le présente à Camille Claudel, auteur de deux bustes : l'un, de son fils Charles, exposé au Salon de la Société des Artistes français de 1889, l'autre de lui-même exposé au Salon de la Société nationale des Beaux-Arts de 1895.

Louis Tissier, comme son père, avait toujours eu la passion des œuvres d'art. Ce fut envers Camille Claudel, l'origine d'une amitié sans faille. Elle habitait à cette époque au 19, quai Bourbon, dans l'Isle Saint-Louis, à Paris. Louis Tissier, enthousiasmé par les trois personnages en plâtre exposés, ne pouvant se lancer dans la fonte de l'ensemble du groupe, se contente de demander à l'artiste de lui permettre de faire fondre en demi-nature, le *Dieu envolé*, devenu *L'Imploration* dans le groupe de trois : cette jeune femme, déjà seule, les bras tendus, qui avait figuré au Salon du Champ-de-Mars de 1894. Il avait aussi remarqué avec un grand intérêt la tête de la *Vieille Heaulmière* mais, à 36 ans, de la même génération que Camille Claudel, il est plus attiré par cette belle jeune femme agenouillée, plutôt que par cette rude tête sillonnée de rides. C'est le fondeur A. Gruet, qui fera la première fonte de *l'Implorante*, sous le regard attentif de Camille qui d'emblée, a donné son accord.

Camille avait 30 ans en 1894, quand elle avait sculpté le *Dieu envolé*, son frère Paul 27. C'est le fil de la passion avec Rodin, fil ténu en 1883, qui s'est tendu depuis 1886, au temps de l'Atelier de la rue Notre-Dame-des-Champs et qui s'effiloche de 1890 à 1893 et s'amenuise, pour se casser en 1898. Camille, toujours hantée par son sujet, quitte le 113, boulevard d'Italie et, après deux déménagements, s'installe quai Bourbon en 1899, après avoir quitté Rodin (cf. la fin de la note 70). Elle pense à un groupe symbolisant son désarroi dans une conception plus large.

En 1895, le premier projet reçoit l'avis favorable du ministère des Beaux-Arts et l'œuvre se développe, prend forme, devient *L'Age mûr* de 1895. Tout d'abord, le groupe de trois — comme le dit Camille — est un ensemble de trois personnages plus stables dans leur pose, à la manière de Rodin des *Bourgeois de Calais*, solides, les corps collés au sol, disons : volontairement un peu empruntés **(Cat 6)**. Puis, Camille s'enfièvre, l'eau lui vient à la bouche, mûrit son inspiration, modifie la disposition, compose, incorpore le *Dieu envolé* **(Cat 5)**, insuffle le mouvement de l'âme, un rythme coulé, la vie ; la draperie s'envole dans un élan solennel — la petite ne suit pas — à genoux, comme les petits animaux qui viennent de naître flageollant sur leurs pattes mal assurées, hésitants — douloureuse, peureuse, anéantie, songeant « est-ce possible ? » alors que les deux autres personnages, poursuivant leur chemin, la mort entraînant l'adulte sans le doute, avec certitude : « Si je ne sais, Dieu le sait ». C'est le nouvel *Age mûr* définitif, de 1898 : *Les Chemins de la Vie*. Certes, cela méritait une fonte en bronze. Qui la fera ? Qui osera la faire ? L'œuvre reste partiellement payée par l'Etat sommeillant, qui conseille à l'artiste de mettre le modèle « au Dépôt des Marbres », rue de l'Université, là où Rodin a un atelier. Un plâtre parmi les marbres ! Ce dépôt avait aussi une entrée grandiose, au 9, avenue de la Bourdonnais, où j'ai habité un temps dans

une chambre « de bonne », d'où je le dominais. Certes, il méritait bien de nom de « Cimetière des sculptures », cet amas de marbres, de plâtres, de bronzes posés pêle-mêle dans un désordre incompréhensible. On voyait là, le soir, à la nuit tombée, tous ces fantômes blancs ou noirs épars, plus ou moins complices et outrés d'être ainsi assemblés ; un monde inquiétant, imprégné de passions créatives. Comment s'étonner alors du refus de Camille Claudel sentant son œuvre perdue à jamais ?

D'une quête, d'une imploration individuelle, le sujet est devenu impersonnel, un symbole de l'humain où se manifeste l'équilibre angoissant entre l'ordre éternel et l'amour. Une même interrogation que celle proposée par Gauguin sur la vie, dans son *D'où venons-nous ? Que sommes-nous ? Où allons-nous ?* [47]. Que cela ait pu être ressenti, traduit par une femme d'une manière aussi dure, nous saisit au plus profond, au-delà des ombres proches qui s'agitent sans comprendre ce langage et sa logique ; cette qualité incomparable et incommensurable de concentrer dans la matière une telle intensité d'espace et de temps, qui sont une providence pour l'âme. Question abrupte, à laquelle on ne peut répondre sans une croyance ou une hypothèse préalable.

C'est seulement maintenant que l'œuvre a atteint son expression la plus haute, par le moyen essentiel de tous les arts, le rythme ; mais un rythme coulé dans une forme, incorporant à la fois « la loi et le jeu » suivant l'expression d'Hubert Reeves[48]. Un mouvement — *« figure* du temps, immatériel en soi, qui suggère dans une matière immobile *une qualité de temps pour une âme »* — terme employé, en 1936, par Henry Charlier qui ajoute « la vie de l'âme en ce monde est essentiellement un mouvement libre et imprévisible, d'une qualité toujours nouvelle. Et c'est pourquoi le chant de l'Eglise est un rythme libre, et c'est pourquoi nos grands poètes Péguy et Claudel sont revenus à des formes qui rendent visible cette liberté »[49]. Et l'on rejoint les hautes conceptions actuelles d'Hubert Reeves.

Mais est-ce seulement de talent ou de génie, et là, voici Péguy, rappelant dans une réponse brève à Jaurès, ce que disait Bergson « un jour posément et que je ne puis vous redire aussi bien » : « Il se peut, disait-il à peu près, qu'il n'y ait pas entre les différentes productions d'art, entre les différentes productions littéraires les relations que nous imaginons. Nous imaginons communément qu'entre les œuvres les plus belles et les productions les plus vulgaires, il y a pour ainsi dire diminution continue de la beauté, enlaidissement ou appauvrissement continu, nous nous imaginons volontiers que par des transitions insensibles, et à la condition de faire un assez long chemin, nous pourrions passer comme en série linéaire des œuvres que nous qualifions de géniales à celles où nous reconnaissons du talent, et de celles-ci à elles où l'on dit que nous reconnaissons quelque talent. Selon cette imagination assez communément admise, du génie au talent il y aurait degrés, passage graduel, gradation, sériation. Mais il se peut aussi que les progrès d'une sérieuse psychologie nous conduisent un jour à modifier ce jugement. Il y aurait alors du génie au talent différence de nature et non pas seulement distance de degré, différence comparable par exemple à celle qui peut séparer la vie de la non-vie. Les œuvres de génie, mal ou bien, seraient vivantes, et les productions du talent, bien ou mal, belles ou laides, seraient pour ainsi dire comme des décorations inanimées. Ainsi s'expliqueraient certains pressentiments que nous avons comme lecteurs, auditeurs ou spectateurs ; ainsi s'expliqueraient certains sentiments avoués ou manifestés par certains auteurs ; ainsi s'expliquerait le fréquent défaut du talent au génie, les apparentes grosses maladresses de la plupart des hommes de génie. »[50]

Et Louis Vauxcelles, en 1905, écrit : « Cette Lorraine agreste et primesautière qu'on a guère aidée à se faire la place qu'elle mérite, qui a connu les pires détresses, la misère déprimante et agressive, qui a lutté seule, dédaigneuse des coteries salonnières, est un des plus authentiques sculpteurs de ce temps. Il émane de son œuvre une puissance tragique ; elle a, tour à tour, l'énergie tourmentée et la finesse nerveuse. Certaines de ses compositions valent par une magnifique massivité, d'autres sont subtiles, aériennes, mais toutes vivent. Camille Claudel n'interrompt jamais le mouvement de la vie... Camille Claudel est sans contredit l'unique femme sculpteur, sur le front de laquelle brille le signe du génie. »[51]

Oui, L'Age mûr est une œuvre de génie. Le capitaine Tissier qui avait fait fondre l'Implorante par A. Gruet sous l'œil attentif de Camille Claudel, le ressentait intérieurement aussi. Mais ses moyens sont réduits et il part pour la Chine avec le Corps expéditionnaire français, durant les années 1900-1901, et participe à l'état-major du général Voyron, à diverses opérations, dont celle de Tien-Tsin. Il a revu son cher ami Bouillard, qui a construit le chemin de fer de Pékin à Hankéou. Dès son retour, il retrouve, chez son père, 46, avenue de Saint-Mandé à Paris, l'Implorante. Le désir de posséder les deux autres figures du groupe de trois ne l'a pas quitté, il n'a fait que s'amplifier. Il rencontre ses amis, Versepuy, Laubeuf, Alphonse Seche, le Docteur de Beurmann, Emile Gallé, Léon Lhermitte et Camille Claudel. Comment réaliser ce violent désir de sauver le groupe de L'Age mûr malgré ses maigres possibilités financières et en pensant aussi à la mobilité de sa résidence, due aux fréquentes mutations dans une carrière militaire ? Les lettres déjà publiées par Anne Pingeot dans la Revue du Louvre de 1982, reflètent l'émotion de ce parcours difficile ; des lettres jusqu'ici inédites préciseront certains détails (cf. Annexe 1).

Dans la lettre du 18 janvier 1902 à Louis Tissier, Camille Claudel qui a 38 ans ressent bien les difficultés créées « par manque d'argent », écrit-elle, « je n'osais même pas vous répondre quand vous m'interrogiez à ce sujet. Seulement, soyez certain d'une chose, c'est de ma franchise et de ma bonne volonté à votre égard, si j'avais moi-même de l'argent, je m'empresserais de faire ces frais de moitié avec vous, pour pouvoir vous offrir le groupe en question... si vous trouvez un fondeur à votre prix, je serai prête à vous échanger votre figure à genoux pour celle-ci » (il s'agit de l'Implorante[52] un personnage contre trois de L'Age mûr).

Quand Louis Tissier aboutit enfin à un accord avec Thiebaut, Fumière et Gavignot, pour la fonte « au sable » du groupe de trois, il voulut redonner à Camille Claudel, l'Implorante. Elle lui répond aussitôt, lettre du 23 février 1902 : « Quant à la figure en bronze que vous avez, puisque vous l'avez achetée, elle est à vous, pourquoi me la rendriez-vous ? »

Cette Imploration, les bras moins écartés que

Cat 16

Cat 22

celle de la fonte Thiébaut, parce que « au dernier moment » — dit Camille Claudel — « où mon groupe partait au Salon, j'ai fait cette modification qui n'existait pas dans la figure première existante » (lettre du 15 août 1899 **(Cat 16)**. Est-ce celle qu'il a vendue au profit de Camille en 1902 ? (*Cf* Annexe 1, 16 mars, 31 mai)

Au sujet de la fonte du groupe de trois, il faut lire les écrits authentiques :

— de Camille Claudel à Louis Tissier, de 1899 à 1902 **(Cat 16 et 17,** *cf* Annexe 1) ;

— de Thiébaut frères, Fumière & Gavignot, du 2 février 1903, qui effectuera la fonte, pour 3 800 francs **(Cat 22)**.

Cat 16
Lettre de Camille Claudel à Louis Tissier
18 janvier 1902.

Cat 22
Reçus du premier d'un acompte et du solde de Thiébaut frères, Fumière & Gavignot succ[rs]
5 juillet 1902 - 2 février 1903.

Les Stations de l'Age mûr

1899. Le groupe de *L'Age mûr* se trouve dans l'atelier de l'artiste, à Paris, 19, quai Bourbon, dans l'île Saint-Louis.

1899 à 1902. *L'Implorante* (fondu par A. Gruet) se trouve chez le père de Louis Tissier, 46, avenue de Saint-Mandé, à Paris.

1903. Le bronze de *L'Age mûr,* fondu par Thiebaut Frères, à la demande de Louis Tissier, fut présenté au Salon des Artistes Français, sous le simple titre, n° 2658, « Age mûr, groupe en bronze, appartient au capitaine T... » **(Cat 7).**

1904. Le capitaine Tissier se marie avec Mlle Jeanne Dubois, fille du général Emile

Cat 40
Louis Tissier lisant à côté de l'*Implorante* de l'*Âge mûr,* à Nice, photographie, 1935.

Dubois, secrétaire général de la Présidence de la République, et le groupe est livré aux jeunes mariés dans leur nouvel appartement, 112, rue Saint-Dominique, à Paris. Le 13 juin 1904, Jeanne Tissier écrit à son grand-père Dubois : « Notre installation est tout à fait terminée, nous avons notre piano depuis mercredi et, vendredi, on nous a amené le Groupe en bronze, qui fait très bien dans le salon. »

Le groupe suivra alors les mutations et résidences de l'officier et de sa famille :

1907 à 1909 : 9, rue Sainte-Adélaïde, à Versailles ;

1909 à 1913 : 16, avenue de la Bourdonnais, à Paris ;

1913 à 1936 : 3, avenue Beaulieu et 117, rue de France, à Nice (Alpes-Maritimes) **(Cat 40)** ;

Cat 40

Cat 7, revers.

Cat 7, vue d'au-dessus.

at 7, avers.

1936 à 1962 : 2, avenue des Anglais, Beaulieu-sur-Mer (Alpes-Maritimes) ;

1962 à 1981 : château de Marzilly par Hermonville (Marne) (Fig 1), à 40 km de Villeneuve-sur-Fère, patrie de Camille Claudel[53] ;

Novembre 1981 : Musée du Louvre, pour le musée d'Orsay ;

1986 : musée d'Orsay.

Ainsi, il aura fallu, de 1898 à 1981, pour que revienne à l'Etat ce bronze qu'il n'avait pas su ou voulu « commander »... plus de quatre-vingts années écoulées !

Cat 7
Camille CLAUDEL
L'Âge mûr. Bronze, 1903.

En même temps qu'il acquiert la fonte de *L'Âge mûr*, Louis Tissier se laisse de nouveau envoûter par la tête de la *Vieille Heaulmière*, devenant ainsi l'acquéreur de la première et de la dernière œuvre de Camille Claudel, pendant l'époque du « Couple pour l'Art ». Camille, qui tenait beaucoup à cette œuvre — on comprend pourquoi — écrit à Louis Tissier, par une lettre du 18 janvier 1902 : « Votre petite tête en bronze sera prête vers le milieu de la semaine prochaine, patinée et signée, et je serai très fière de la savoir chez vous. » **(Cat 12)**

2. Le revers

Au bout du chemin

1900. *L'Âge mûr* est refusé à l'Exposition Universelle.

1903 à 1913. Dix années d'occultation de la

L'IMPLORATION (¹)

(Détail de l'Age mûr, plâtre).

Photo Lémery.

(¹) Cette figure appartient au Deuxième projet de l'« Age mûr ». Elle se place à droite et représente l'Amour qui implore à genoux et rappelle l'Homme, d'age mûr, entraîné déjà par la Vieillesse.

Tandis que dans le Deuxième projet, l'Homme, vaincu, se laisse conduire, dans le Premier, il résiste encore.

Cat 25

première fonte originale, après son exposition au Salon des Artistes français.

1913. C'est, pour Camille Claudel, le temps brisé, la fin de la création, comme si une autre personnalité, due à l'enfermement, était apparue.

1913 à 1943. Un silence pesant de trente années, pendant lesquelles on ne parle jamais de cette sculpture, ce qui incite, en 1937, Louis

Tissier, à une inscription manuscrite sur l'exemplaire de 1913, de L'Art décoratif représentant L'Imploration, personnage de L'Âge mûr (**Cat 25**) :

« Le groupe de L'Âge mûr a été fondu par

Cat 25
Page de L'Art décoratif de Juillet 1913 reproduisant l'Imploration, annotée par le général Tissier.

Thiébaut Frères en 1902, pour le capitaine Tissier, par les soins de Camille Claudel elle-même qui fit les coupures en 3 parties, afin d'en faciliter mes déplacements d'officier. Elle travailla elle-même chez Thiébaut Frères et rien ne se fit dans les coupures des membres sur le plâtre, pour les fontes, sans que ce soit elle qui ait « orienté » les raccordements. Sur la photo ci-dessus, on voit les coupures — sur le bronze, elle signa C. CLAUDEL — On lit sur *La Vague*, sous la gravure du nom de la firme du fondeur « 1re épreuve » — De nombreuses années plus tard, quand Camille Claudel tomba gravement malade, le frère, l'ambassadeur Paul Claudel, autorisa Philippe Berthelot à faire exécuter une deuxième épreuve, mais Camille Claudel n'y travailla pas (ci-joint les factures de Thiébaut Frères), elle était dans la maison de santé de Villeneuve-lès-Avignon. »

Général Tissier, 1937.

La fonte est remarquable : il faut voir aussi la surface palmée de l'ensemble de la base qui a la beauté d'une main ouverte **(Cat 7)**.

C'était le temps où Camille était dans l'enceinte des « Insensés ».

En 1943, Louis Tissier va écrire à Paul Claudel par prémonition à la veille de la mort de Camille. Je dois remercier Jacques Cassar d'avoir eu la délicatesse de me faire adresser copie de la lettre de mon père **(Cat 19)**.

Mais pourquoi, de 1943 à 1973, de nouveau, trente ans d'oubli ?

En 1951, la veuve du général Louis Tissier écrit au conservateur du musée Rodin, en regrettant de n'avoir pas été prévenue de l'exposition Camille Claudel. Elle reçoit une réponse « administrative » de Marcel Aubert.

Par une erreur bien compréhensible, que l'on répète régulièrement (ce qui montre que cette lettre est connue), ma mère a appelé la petite tête de femme âgée, possédée par Louis Tissier : *Vieille Hélène,* au lieu de *Vieille Heaulmière.*

Alors, nous posons une question essentielle. Pourquoi Paul Claudel, dont la parole et l'écrit faisaient foi, s'est-il obstiné à occulter l'existence de la première fonte au sable (1re épreuve) réalisée à la demande de Louis Tissier par Thiébaut Frères avec l'aide et la « der-nière main » maternelle, peut-on dire, de Camille Claudel.

Cela expliquerait peut-être :
— Pourquoi notre transmission de cette œuvre capitale au musée d'Orsay a été si délicate. Est-ce aussi parce que le Musée Rodin possédait une fonte à la cire perdue — de ce fait, plus ratatinée — réalisée par Philippe Berthelot, après l'enfermement de l'artiste et donnée au musée, par Paul Claudel ? Fallait-il que cette épreuve (la seconde) fut unique ?
— Pourquoi le plâtre a-t-il disparu ?
— Pourquoi tant de personnes veulent-elles être aujourd'hui le premier découvreur de l'artiste ?
— Pourquoi la reproduction de la première épreuve est-elle souvent omise dans les publications ?
— Pourquoi lit-on dans Cassar, en interprétant les termes de la lettre du général Tissier à Paul Claudel, en date du 31 août 1943 : « ... Le général Tissier informait le frère de Camille des circonstances dans lesquelles, en 1902, il avait réussi à sauver de la destruction, un exemplaire de *L'Âge mûr* ». (La réponse de Paul Claudel est du 7 septembre, et non du 31 août.)[54] **(Cat 20)**

Faut-il aussi se demander pourquoi la petite tête de la *Vieille Heaulmière* est toujours mal située dans la chronologie de la sculpture de Camille et pourquoi on découvre la même tête — d'une mauvaise fonte en « métal doré », avec la signature « en relief » de Rodin — (lequel n'y est certainement pour rien)[55].

Signalons enfin, que selon les livres, il y a une très grande variété de datation, même si l'on ne parle pas du plâtre, mais du bronze de la *Vieille Heaulmière.*

Par exemple :
— bronze, 1890, dans le catalogue du musée Rodin, de 1929 ;
— bronze, 1888, *Rodin* par Bernard Champigneulle ;
— bronze, 1885 (avant), *Rodin* par Decharnes et Chabrun.

Il serait intéressant aussi de comparer avec la date de la *Misère* de J. Desbois[56].

Ouvrages romancés

Inspirés du milieu, de l'époque et de la Champagne

En dehors des textes de Paul Claudel, maintes fois cités, voici quelques titres d'ouvrages romancés inspirés du milieu, de l'époque et de la Champagne :

En 1899 : *Quand nous nous réveillerons d'entre les morts* d'Henrik Ibsen — traduit en français en 1923 « Une chaîne de confidents ayant pour nom deux amis d'Ibsen, le sculpteur Gustav Vigeland et le peintre Fritz Thaulow »[57]. Mais qui était le professeur Rubek, grand sculpteur ne composant plus que des bustes, l'inspiration pour les grands sujets l'ayant fui ? Qui était Maïa sa femme ? Qui était Irène, son ancienne inspiratrice et modèle de sa grande œuvre *Le jour de la Résurrection* ?

En 1926 : *Bella* de Jean Giraudoux. Mais, qui était Bella ? et qui Dubardeau (Philippe Berthelot) ?

En 1928 : *Andromède et le Monstre* d'Henry Bordeaux. Mais qui était Andromède ou André Nesle ? Qui, Gérard Ancy, conseiller d'ambassade ? Qui le Monstre ou Sauveterre sculpteur ? Qui Claire Ancy ?

En 1937 : *Phryné* de Léon Daudet. Qui était le sculpteur Estian, ainsi décrit « après des temps de labeur et de misère, Auguste Estian, dans sa cinquantième année était arrivé en France à une gloire contestée, et en Angleterre, en Allemagne, en Amérique à la gloire tout court... musclé et trapu avec un visage robuste... des yeux aigus sous de gros sourcils... une forte barbasse châtain » ? Qui est Margot Labrit, « une maîtresse, une élève et un modèle... une sorte de génie et qui n'avait que 23 ans » ? Estian : « Je l'ai représentée une vingtaine de fois, sous diverses formes, tant sa physionomie et son allure, en dehors de son immense talent, s'accordaient à ma conception de la femme. La voici en bonnet de paysanne ; la...

— Mâtin, on peut dire qu'elle vous a préoccupé et vous préoccupe !

— Je ne m'en cache pas. Mais je ne lui ai rien appris de notre art. Il s'est trouvé, simplement, que sa vision artistique correspondait à la mienne...

— Pourquoi ne l'épousez-vous pas ?

— Parce que, sauf quant à notre art, nous ne pensons de même sur rien. Elle est jeune. Je prends de l'âge, j'en ai déjà pris pas mal. Elle ne fait jamais aucune concession à qui que ce soit, ni pour quoi que ce soit. Je transige volontiers, car les querelles m'embêtent. L'amour physique est primé à ses yeux, par l'amour moral et métaphysique. »[58]

En 1981 : *Une Femme*, pièce de théâtre d'Anne Delbée et Jeanne Fayard. « Une vision bouleversante » pour Jacques Madaule.

La personnalité de l'artiste, admirablement représentée par trois jeunes femmes « les trois grâces », dont la nudité sur scène — j'estime — n'ajoute rien à la valeur de la pièce.

En 1982 : *Une Femme* d'Anne Delbée. Mais qui était cette Femme ? « Vous n'avez donc pas lu son dernier roman : *Une Femme* ?... Lisez-le, Claudine. Vous verrez, c'est le journal, si naïf, d'une douleur qui se complaît en elle-même... »[59]

Rêvant au cours de cet entretien sur l'étrange et impressionnante histoire du sculpteur Camille Claudel nous regardions avec l'étonnement les pierres blessantes du chemin et nous pensions à Rimbaud :

....

« La première entreprise fut, dans le sentier »
« Déjà empli de frais et blêmes éclats »
« Une fleur qui me dit son nom »[60]

....

La sculpture de l'Amour
transcendant le réel
découvrant l'attachante personnalité de
[l'Artiste
et l'individualité malléable et modulée des
[choses

André Tissier

II

Camille Claudel vue par Rodin

« On ne naît pas grand artiste » pensait Goethe. Rodin en est un nouvel exemple.

C'est un autodidacte. Luce Abélès a retrouvé son inscription à la *Bibliothèque des Amis de l'Instruction,* l'année même de l'ouverture de cet établissement populaire en 1862[61] ; il avait alors 12 ans.

C'est un travailleur acharné ; dur, comme tous ceux qui n'ont rien obtenu sans devoir l'arracher **(Cat 28)**. Et soudain, à 43 ans, il rencontre « le bonheur d'être toujours compris, de voir son attente toujours dépassée ». Cette joie s'appela Camille Claudel. Le meilleur portrait qu'il nous laissa d'elle, c'est la réunion des sculptures qu'elle lui inspira *L'Aurore,*1885 (Fig 24), *Tête* (Fig 25), *Saint Georges,* avant 1889, *La*

Cat 28
BERGERAT.
Rodin, photographie, 1886.

Fig 24
Auguste RODIN
L'Aurore. Marbre, 1885-1898
Paris, musée Rodin.

Fig 25
Auguste RODIN
Camille Claudel. Bronze
Calais, musée des Beaux-Arts et de la Dentelle.

Cat 28

g 24

Fig 25

Cat 10

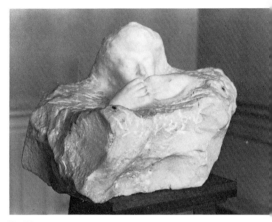

Fig 27

Fig 26

Fig 28

Fig 29

Cat 10
Auguste RODIN
La Pensée. Marbre, 1886-1895.

Fig 26
Auguste RODIN
Tête de C. Claudel et main de Pierre de Wissant. Plâtre
Paris, musée Rodin.

Fig 27
Auguste RODIN
La Convalescente. Marbre, 1892
Paris, musée Rodin.

Fig 28
Auguste RODIN
L'Adieu. Plâtre, 1892
Paris, musée Rodin.

Fig 29
Auguste RODIN
La France. Bronze, 1904
Paris, musée Rodin.

Pensée, 1886-95 **(Cat 10)**, *Tête et main* (Fig 26), *La Convalescente*, 1892 (Fig 27), *L'adieu*, 1892 (Fig 28), *La France*, 1904 (Fig 29)). Cette histoire inscrite dans la pierre peut se compléter par un versant de mot, grâce à la correspondance conservée par Jessie Lipscomb, l'amie anglaise de la jeunesse de Camille Claudel, celle qui alla la voir en 1931 à Mondevergues, là, où ni sa mère, ni sa sœur n'allèrent jamais (Supra fig. 18, 19).

Ces lettres d'un homme de 45-46 ans subjugué, soumis, dessinent une autre Camille[62]. Rodin ne pouvant s'adresser directement à elle, exprime avec maladresse ses sentiments, à l'amie, comptant sur une transmission favorable.

Lettres de Rodin à Jessie Lipscomb

Les mots rayés par Rodin figurent entre crochets. Son orthographe et sa ponctuation sont respectées.

Les notes figurent entre parenthèses.

Nous avons conservé la numérotation de la correspondance, telle qu'elle figure sur la copie du musée Rodin. Nous signalons quand elle nous semble devoir être corrigée.

1.

Chère demoiselle aurais-je le plaisir de vous voir aujourd'hui êtes-vous indisposée ? le modèle est venu vendredi

Agréez mes sentiments distingués.

Rodin

2.

[4 oct 1885] Miss Lipscomb Demain atelier après-midi Lundi, 182 rue de l'Université respectueux saluts

Rodin

3.

Mademoiselle faites ce que vous voulez je suis malade

Amitiés Rodin

4.

Ma chère élève

je voudrai vous voir vers midi ou 1 heure

votre très dévoué professeur Rodin

5.

Ma chère Elève

Pouvez-vous me faire avoir des nouvelles de Melle Camille

J'espère que vous travaillez avec ardeur à demain matin votre très affectionné

professeur Rodin envoyez le modèle Boulevard de Port Royal si vous voulez

6.

Ma chère Miss Lipscomb

vous serez aimable de m'envoyer par la poste ou par le modèle ce que vous jugerez convenable pour les leçons tant bien que mal que je vous ai données (c'est le terme, le loyer) à vous d'amitié   Rodin

7.

17 février 86

Chère demoiselle

Ayez bien soin de vous, heureusement que ce n'est qu'une grippe qui est en ce moment à Paris et qui n'est pas dangereuse, néanmoins prenez vos précautions, en attendant le plaisir de vous voir ayez l'expression de mes respectueuses amitiés

Rodin 117 Boulevard de Vaugirard Paris

(Lettre vendue chez Christie's le 4 février 1918, copiée par J.E. qui ajouta : This was addressed to me at 41 rue Lafontaine Auteuil Paris)

8.

Ma chère Elève

vous n'êtes pas venu hier soir et n'avez pu amener votre chère têtue, nous l'aimons tellement que c'est elle, je le crois bien qui nous dirige

Je vous remercie de l'ardente et délicate affection que vous avez pour elle.

J'augure bien de son [voyage] séjour en Angleterre avec vous surtout

Agréez mes vives et respectueuses amitiés

Rodin

(Telegramme : revers Miss Lipscomb

Chez Mademoiselle Camille Claudel

117 rue Notre Dame des Champs)

9.

28 mai 1886 70 Ennismore Gardens S.W.

Cher Monsieur j'ai tardé à répondre à votre lettre, mais je suis très honoré de votre invitation et je viendrai si il n'y a aucun empêchement fortuit vendredi et je prendrai le train de 10h 10m arrivant à 11h40... J'espère passer la journée et la matinée du lendemain avec vous.

Présentez à madame et agréez l'expression de ma respectueuse sympathie Rodin

J'espère que mes deux élèves seront en bonne humeur

(Une lettre de Camille Claudel conservée aux archives du musée Rodin, que Reine Marie Paris date après 1893, nous semble devoir être intercalée ici, c'est-à-dire en 1886 : « Voici que j'ai commencé une note pour M. Gauchez[63] où je me suis tout à fait embourbée, comme vous le voyez et qui est certainement la plus stupide du monde.

Voulez-vous me la corriger SVP et me mettre une belle tartine sur le mouvement et la recherche de la nature etc... Il m'a été impossible de m'en tirer. »)[64]

10.

70 Ennismore Gardens S.W.

Cher Monsieur Lipscomb

Vous avez bien voulu me rendre le service de faire de la monnaie soyez assez aimable encore si cela est agrée, de le remettre à Mademoiselle Camille, à qui Monsieur Gauchez doit à peu près la somme, moi je la demanderai à Paris à ce Monsieur.

Cela empechera les frais Agreez ainsi que Mme Lipscomb l'expression de ma reconnaissance amitié Rodin

(Rodin aurait donc fait l'article pour Camille et avancé les fonds pour qu'elle n'attende pas ?)
(Placer les lettres 24 et 25 avant la lettre 11 ?)

11.

70 Ennismore Gardens S.W.

Ma chere Eleve

Vous avez eu la bonté de tenir votre parole, et de m'envoyer une carte me disant votre arrivée à Londres, elle a du s'égarer, car je ne l'ai eu que le vendredi matin. Vous avez aussi été assez bonne pour y joindre vos amitiés, et celles de Mademoiselle Camille, peut- être avez vous fait œuvre de Charité, en tous cas, merci. J'ai vu *votre buste qui est bien placé et qui le mérite.* [65]

J'ai écrit à Monsieur votre père que je viendrai vendredi 11h40 du matin.

Soyez aussi aimable, et envoyez moi de vos nouvelles. Cela sera d'une bonne amitié, et je vous demande quelques détails sur vos belles promenades.

Si votre temps n'est pas trop precieux et si votre petit professeur vous le permet vous pouvez m'en dire beaucoup.

La vue de beaux enfants et de belles femmes au parc, de beaux arbres, ont modifié (ajouté : aujourd'hui) un peu la tristesse assommante que j'apportai de Paris.

Il fait froid à Londres, tachez que votre petite parisienne n'en souffre pas et continuez de lui être precieuse par votre veritable amitié ! et votre bonté d'ange

Agreez chere demoiselle l'expression de reconnaissance et de ma vive sympathie

Mes respects à Monsieur et à Madame Lipscomb. Rodin

Je reçois votre lettre et je suis tres heureux de ce qu'elle renouvelle l'invitation et l'expression de vos sentiments affectueux AR

Have you slept well

12.

70 Ennismore Gardens S.W.

Monsieur et Madame Lipscomb

J'ai été tres flatté et honoré de l'accueil que vous avez bien voulu me faire j'ai été deux jours tres heureux et qui comptent toujours dans mes souvenirs

Merci pour moi, de votre cordialité, de la délicate prevenance que vous et votre tres charmante Jessie avez pour vos invités Merci aussi je me permet de le dire pour l'amitié que vous marquez si pleinement à Melle Camille qui est si simple et néanmoins pleine de talent. Je ne pourrai malheureusement pas revenir à Peterborough, des lettres de Paris me forcent à partir immediatement je me promettais cependant de participer à la fête de dimanche prochain, et de porter un toast, au bonheur de votre chère fille m'associant de bon cœur à tout l'amour que vous avez pour elle [et que vous lui m.] j'aurai voulu aussi saluer Monsieur Osborne et le remercier de la photographie qu'il m'a faite.

Je vous prie d'agreer l'expression de mes regrets

votre devoué A Rodin

(Assister aux fiançailles de Jessie Lipscomb avec Osborne n'était pas favorable à ses vœux, sans doute mais cette lettre devrait être placée après la lettre 13.)

13.

[entre 29 mai 5 juin 1886]

70 Ennismore Gardens S.W.

Ma chère Elève

je ne viens que de recevoir votre lettre du 27

qui me vient de Paris et dans laquelle vous me dites vos fatigues et votre repos les ennuis que Jasmina fait à Mademoiselle Camille. Vendredi [nous aviserons et] nous terminerons l'affaire [si Mademoiselle Camille le veut]

M. Gauchez qui m'ecrit m'a [dit que] demandé que l'on puisse faire un dessin du bronze, qui est ds l'atelier de Mademoiselle Camille (son frère) pour le mettre dans l'art et lui faire une petite note. Que l'on mette une clef à la disposition du dessinateur (Fig 30) [66].

il a demandé aussi que la tête yeux fermés ait de la draperie, mais de cela nous en parlerons ces jours ci.

Ma chère demoiselle je suis bien heureux que mon petit groupe ait plu à Madame votre mère tres heureux de l'amabilité que Monsieur Lipscomb me témoigne en m'invitant plus longtemps quoique je ne pourrai en profiter peut-être et en vous chargeant de cette invitation.

Je verrai les photographies de M Helborn probablement des nouvelles et je remporterai probablement la vue d'un site charmant, qui me fera souvenir longtemps de Peterboroug. Car je vous assure que je n'ai été nulle part, me promettant autant de plaisir qu'à Peterboroug. Il pleut un peu à Londres, mais le temps est beau dans une partie de la journée et je me promets de si belles promenades chez vous. je vous supplie de ne pas trop vous fatiguer ces jours ci et d'organiser vos promenades [pour particulierement] pour le moment où j'aurai l'honneur d'être dans votre aimable famille (six lignes barrées illisibles)

Agreez Ma Chere Elève et presentez à Monsieur et Madame Lipscomb l'expression de mes sentiments dévoués.

A Rodin

Je rouvre ma lettre car je reçois les 2 votres. Je suis furieux et au desespoir de ne pas me trouver jeudi à 1 1/2 à l'exposition coloniale. M. Natorp [élève de Rodin à qui est dédicacé le *Fugit amor* du musée d'Orsay] a tellement organisé mes heures et mes journées, que je ne suis le maitre de rien. Jusqu'à vendredi matin.

Fig 30

Fig 30
Camille CLAUDEL
Jeune Romain
Dessin de Henri Dumont d'après le buste en bronze de Mlle C. Claudel appartenant à Mme la Baronne Nathaniel de Rothschild, *L'Art*, 1888, t. XLIII, p. 233.

Quel ennui ! et combien je crains de vous *deplaire, de deplaire à votre famille* et à *Mademoiselle Camille*. je ne m'attendais pas à cette chance inesperée, et bien je ne puis pas en profiter. En tous cas M. Natorp a telegraphie pour vous inviter (ajouté : toute votre famille), au dejeuner vendredi j'espère que ce sera accepté. Je suis rempli de joie de partir avec vous à Peterborough. J'ai mes entrees pour la Gallerie du duc de Westminster dont nous profiterons. J'en avais eue pour vendredi (ajouté : voir une Grande Gallery) que j'avais refusé à Sir Leython car je croyais partir chez vous. Je tacherai de l'avoir on a pris des places pour une excursion à la campagne en coache (suite lettre 20 ?).

14.

[enveloppe 31 mai 1886] (la date du 31 mai 1886 figurant sur le cachet de l'enveloppe est incompréhensible, puisque Rodin se trouve en Angleterre et non en France, du 29 mai au mois de juin. Faut-il lire 31 août 1886 ?)

Ma chère amie

je ne sais comment vous témoigner la reconnaissance que j'ai pour votre gentillesse, vous ne savez pas combien vous me faites du bien et ma pauvre ami toute fatiguée a besoin qu'on l'encourage, ah je traverse des paysages bien laids en ce moment et cependant je ne suis bien que seul et avec mes chimères. L'adorable nature l'adorable réalité des pays baignés de soleil si pur en ce moment, cette belle France, ma Chere Anglaise ne me dit rien du reste (cinq mots barrés illisibles) Toute ma force refugié dans un coin, elle est là, aneanti, vacillante, existera-elle encore. Que suis-je ?

Envoyez moi vos photographies C'est entendu. C'est à votre exquise bonté que je le demande, que Melle Camille et vous soyez pres l'une de l'autre et cependant que vos deux gracieuses personnes soient entières. Vous ne m'avez rien donné de ce que je demandai.

Je regarde souvent à ma boîte, quelque fois, je reviens brusquement de loin de la campagne, de partout pensant à une lettre d'Angleterre.

Ne me laissez pas m'assommer ainsi en tardant de trop et faites que votre amie ne soit pas si paresseuse.

J'ai peur d'avoir été pedant en vous envoyant des journaux mais ce n'est pas par gloriole, j'ai pensé que peut-être j'acquererai encore un peu (ajouté : plus), de votre estime et de votre amitié peut-être ce sera le contraire, et ce que j'avais pensé bien tournera en risée : je sais qu'avec certain rire les [femmes] jeunes filles attenuent singulierement le sucès, et le rende ridicule

du reste elles ont raison

La piece de vers la passante me plait beaucoup dans la revue (quatre lignes barrées illisibles)

De vous ma chere ange de votre gentillesse j'espère tant qu'en lisant ma piteuse lettre vos rires soient reprimes et que je ne le sache pas.

Envoyez moi un des croquis que vous faites si vous croyez que je le merite

Rodin

Voila pour la mechante paresseuse du Courrier de l'art

(Rodin a donc exécuté le pensum que lui avait lestement infligé Camille)

15.

70 Ennismore Garden S.W.

ma chère Elève

absorbé j'ai oublié de demander pour l'accademie mais M Natorp vous le fera savoir et lui n'oublie jamais les commissions.

Votre air de ballade est venu voltiger autour de ma pauvre tête, tout le matin, au moment où j'avais decouvert que vous etiez musicienne, et que j'avais plaisir à vous entendre, notre reine cherie n'a plus voulu. [Certes qu'elle] J'ai tort mais vous avez vu quelle puissance elle a sur tout le monde qui l'approche. et (ajouté : aussi

sur vous). Ecrivez moi à Paris des details sur [votre] vos promenades, maintenant que je les connais ces jolies praieries. elles ne sortiront pas facilement de ma tête et elle, y reviendront souvent comme la ballade ecossaise qui m'emplie les yeux

God by

a vous tres respectueusement

A Rodin

16.

70 Ennismore Gardens S.W.

Ma chère Mademoiselle Lipscomb

Merci et vous savez combien j'ai de sincère amitié pour vous j'ai écrit à Mademoiselle Camille pour cela et Plaidez ma cause toujours quoique elle est désespérée si vous obtenez oui Télégraphiez-moi. A vous votre tres reconnaissant et respectueux ami

Rodin

Carte de visite

Ma chère élève je vous envoie mes amitiés et vous prie de présenter mes respects à M et Mme Lipscomb

17.

23 août 1886

Ma chère Elève

Votre lettre m'a fait plus de plaisir que jamais, je suis reconnaissant des 3 photographies qui etaient, et remercie vos aimables parents et M. Elborne d'avoir pensé à moi et de m'envoyer leurs amitiés

Je suis un peu mieux, mais je n'ose penser que cela durera.

S'il était possible que vers le 25 du mois j'aille vous prendre à Calais vous pourriez voir [pendant] et faire avant d'aller à Villeneuve — une petite tournée, pour voir soit des villes de france ou de Belgiques.

Je sais que tout cela dépend un petit peu de vos arrangements et du caprice de Melle Camille je dis le 25 parce que je crois que c'est vers ce moment que vous revenez.

Melle Amy viendra-t-elle jusque la aussi.

En tous les cas mes chères amies faites pour le mieux, malheureusement en Angleterre je ne suis bon à pas grand chose, ni a vous sortir d'Embarras ne sachant pas la langue embarrassé pour payer avec la monnaie anglaise etc. Vos photographies sont tres belles, les paysages sont beaux, et les figures sont bien venues, exceptés celles du petit pierrot qui est derrière, qui a bougé car ses traits sont méconnaissables, seule sa pose gentille est restee

Vous êtes tres bienvenue et M. Elborne aussi le groupe des trois est bien, mais j'aurai voulu vous voir en toilette de visite.

Tachez ma chère artiste de faire que je vous montre les belles villes du nord de la france Tachez ce que vous pourrez et je vous devrais toujours comme d'habitude, de nouvelles gratitudes oui faites cela et je serai heureux d'autant plus que votre professeur vous sera utile, même a notre chère et grande artiste.

Je vous envoi le petit papier content de savoir que c'est lui qui demain aura l'hospitalité chez vous.

Presentez mes respectueuses amitiés à vos parents et à Monsieur Elborne.

Rodin

18.

Carte de visite de Paul Claudel 31 Bould Port-Royal. Tampon de la poste du 28 decembre 1886

With all his thanks to Miss Lipscomb for her lovely present.

19.

Ma chère élève

Merci de la bonté que vous avez eue de m'ecrire et je m'étais resigné a l'indifference de mes elèves qui avait pour excuse de s'amuser beaucoup. Mais je vois par votre lettre que la maladie de M. Lipscomb en etait la cause.

Je suis tres heureux de savoir M. Lipscomb retabli.. Il a une si belle santé, qu'il porte si bien, que je ne sais par quel côté le mal a dû le prendre.

Je ne vais encore qu'à moitié, car je n'ai pas eu le courage d'aller à la campagne j'essaye d'aller un peu à la promenade le matin avant de travailler, mais quelle corvée quand ce n'est pas par envie qu'on y va.

Je vous rappelle que vous avez des photographies à m'envoyer. M. Elborne à qui vous ferez mes amitiés a du trouver de jolies [j] clichés autour de lui. Presentez aussi mes respects a Monsieur Lipscomb felicitez le pour moi de son retablissement à Mme Lipscomb a tous mes amis d'amitié

Rodin

Je suis fier que Mademoiselle Camille et vous Mademoiselle ayez du succès à Nottingham.

Vous me pardonnerez de parler devant M.

Elborne des photographies. Je sais combien M. Elborne est un savant distingué [et] qui a tant d'avenir, déjà realisé en rappelant les clichés qu'il fait pour vous faire plaisir et à vos amis. je n'entends pas donner trop d'importance à ce passe temps favori.

20.

(Ne serait-elle pas la suite de la lettre 13 ?)

Chez mon ami Natorp Vendredi toute votre famille sera à déjeuner M. Helborn à qui j'ai plusieurs choses à demander Allons tout est fête et tout est illuminé dans mes esprits.

Pardonnez moi ces griffonnages mais j'ai hate que ma lettre parte

Agreez ma chère artiste l'expression de mes respectueuses amitiés. A Rodin

J'espère tout de votre bonté pour arranger tout ce qui ne marcherait pas, tout ce qui pourrait arriver de facheux [et] je suis si content, que j'ai peur de tout. En tous les cas si je ne suis pas avec vous jeudi après midi, pensez que j'irai vendredi matin [vous] saluer vos parents avec empressement.

[Ah si vous ne veniez que Vendredi matin, vendredi samedi je suis libre]

Dites moi seulement si vous serez à Londres vendredi ou si jeudi à quel hotel vous descendez.

Ah je vous assure que Londres [n'aura] n'a plus de brouillard pour moi.

Mademoiselle Claudel peut être tranquille et elle enverra l'argent de Jasmina vendredi. M. Gauchez est enthousiaste d'Elle et j'ai de l'argent pour elle.

21.

Ma Chère

Eleve

je n'aurai pas l'honneur de dejeuner avec vous, un Telegramme de ce matin —est la cause de ce manque de parole, excusez-moi et croyez combien *je suis peiné* de ne pas me trouver avec vous et Mademoiselle Camille [agreez mes respectueuses amitiés

Rodin

22.

Ma chere eleve

une lettre venant de votre pays me bouleverse, et je suis long à reprendre mon courage.

Votre lettre est vivante pour moi, et a travers votre retenue, je vous sens tres compatissante.

Compatissante, vous l'avez été quand dans les

Fig 31

Surtout ne m'oubliez pas ecrivez moi

J'ai eu à Paris un (?) et éclatant succès

Ces jours ci je me desespère ne sachant comment que je ferais, je suis si fatigué pour travailler. je perds tant de temps. à bientot une lettre

Votre reconnaissant ami

A R.

23.

Pardonnez moi cher Monsieur Lipscomb de n'avoir accusé réception de la lettre chargée j'ai été absent

Merci bien et agreez ainsi que Madame Lipscomb l'expression de mes sentiments dévoués

24.

(A placer ainsi que la lettre 25, avant la lettre 11 ?)

Ma chère Elève Vous êtes toujours si bonne pour moi. Mais ma malchance sterilise tout j'ai besoin d'un peu de temps et je vous ecrirai. pour vos bustes je ne suis au courant de rien et d'autre part Mr Gauchez me réclame un buste. Si Mademoiselle Camille voulait m'expliquer dans un mot.

je déjeune avec le poëte Stephenson nous sommes très sympathique l'un à l'autre et il [a] ecrit l'adresse du journal l'art que je [vous] envoi a Mlle Camille en le signant ; H...ez aussi à vos parents à M Osborne à Mlle Claudel mes respectueuses salutations

Votre bien reconnaissant A Rodin

Envoyez moi photographies

25.

Mademoiselle et chère eleve

Mademoiselle Camille a ecrit a Cariou (?) pour les bustes de ne plus les envoyer.

Je vous envoi mes amitiés, et je me rejouis de

deux soirées inoubliables, vous m'avez chanté la romance Ecossaise entre autres.

Ces quelques nottes ont pourtant disparues, et je ne les fredonne plus

Notre chère Camille n'avait pas voulu être avec nous.

Malgré que je m'en croye par moment, je ne suis pas mieux

Mais je vous prie de M'ecrire de l'ile de Wight (Fig 31 A, B, C, D, 32) [67]

Tachez d'arranger que je vienne quelques jours.

Vous savez que j'ai confiance dans le plaisir que ces charmantes promenades, qui donnent la gaité et la force pour travailler à l'atelier après dans l'hiver. Mais moi qui reste à Paris j'aurai certainement moins d'energie pour le travail. Cependant il m'en faudrait beaucoup.

Agreez ma chère demoiselle l'expression de mes sentiments de respectueuse amitié et presentez aussi mes respects à Monsieur et à Madame Lipscomb qui sont si gentils

Rodin

Fig 31
Camille CLAUDEL
Quatre dessins au fusain : *A quiet nap, a fisherwoman, le docteur Jeans, Old granny, L'Art*, 1887, t. XLII pp. 28, 148, 178, 188.

Fig 32
Première page de l'article de Pierre Servan (= Paul Claudel) « Dans l'île de Wight », *La Revue illustrée*, 1er août 1889, p. 108.

Cat 29
Jessie LIPSCOMB
Reflet dans un miroir : Rodin et *La porte de l'Enfer*, photographie, avant septembre 1887.

DANS L'ILE DE WIGHT

Toute verte et toute bleue, et à peine séparée de la côte par un bras de mer, la petite Wight se leve des vagues, si jolie et si gaie qu'on dirait le cap de je ne sais quelle Italie perdue. C'est l'île des villas et des beaux jardins, des cottages bas disparus sous le grimpement des géraniums, entre les massifs de fuchsias géants; la Nice où les malades viennent chercher un air éternellement tiède, les riches quelques semaines de calme paresse après l'hiver.

Le paquebot suit longtemps une côte verte pleine de châteaux qui inclinent jusqu'à la mer leurs gazons et leurs allées. On aborde d'abord à Cowes, la ville aristocratique de l'île par excellence; car tout près de là est le château d'Osborne, où la reine habite l'été et où la princesse Béatrice épousa ce pauvre M. de Battenberg, qui fait la joie des journaux anglais. On me dit que c'est à Cowes, dans le *Solent Spithead*, où nous naviguons en ce moment, qu'ont lieu les plus grandes régates du monde, celles du Yacht-Club anglais. Nous passons près des vieux navires de bois où travaillent les jeunes détenus, et nous

g 32

savoir que vous aimez et admirez la mer a toute heure vous prenez la santé qui fait belle et vigoureuse pour le travail

Je suis resté à Paris C'était ce qui me convenait le mieux, le travail vallait mieux pour moi quoique il ait été bien improductif et que vous serez etonné du peu mais enfin la campagne m'ennuyait de trop de son eternelle et ironique beauté.

Agreez ma chère Artiste mon respectueux devouement

A Rodin

Exprimez mes respetueuses amitiés à vos parents à M. Elborne et a vos amis.

26.

Mademoiselle et chere eleve Oui si cela fait plaisir a Mademoiselle Claudel Venez samedi. Mademoiselle Fawcett aussi la journée Je vous prie avant tout de *me donner de ses nouvelles* (ajouté : et des votres) *par retour du courrier* ce que vous n'avez pas fait

Votre tres respectueux

Rodin

27.

Ma chère eleve je n'ai recu aucune photographie je ne sais où elles sont. je vous felicite de votre mariage avec M. Elborne et fait des vœux pour votre bonheur car toute la vie est là dans l'homme ou bien, la femme qu'on aime.

Agreez mes sentiments affectueux Rodin

Mes respects à vos parents

(Dans sa lettre du 15 septembre 1987, J. Lipscomb lui annonçait son mariage pour décembre 1887. Elle lui offrait en même temps l'album de photographies **(Cat 29)**) conservé ainsi que cette lettre, au musée Rodin : « Tout le monde aime beaucoup votre photographie dans le mirroir. Seulement vous avez l'air un peu fatigué. »

28.

Ma Chere Eleve Vous avez été gentille comme tout, et j'ai été bien en retard pour répondre à votre envoi de photographies et à votre aimable attention de la petite part de gateau

Cat 29

Je repare tout cela en vous souhaitant le bonheur

Mes amitiés à M. Elborne

Agreez mes hommages respectueux Rodin

29.

30 decembre 88

Mes chers amis je vous envoie de tout cœur
mes meilleurs souhaits et pensez que je me
rappeles toujours que vous avez été tous deux
bons pour moi

Respectueusement [tout] votre

Rodin

30.

Carte de visite de A. Rodin

De tout cœur à vous chere bien chere Eleve
Madame Eleborne

A Rodin

(Le 12 janvier 1889 Jessie Elborne écrit à Rodin
« Mon cher Maître Rappellez moi à Melle
Camille Et dites que nous avons une petite fille.
Elle a neuf semaines Et elle est très jolie. »

Le 25 février 1906 elle envoie à Rodin la
photographie de ses quatre enfants.

Archives du musée Rodin)

31.

Carte postale de Paul Claudel Tokyo 20 oct 24

Enveloppe : Ambassade du Japon

Madame Je retrouve avec confusion parmi des
lettres égarées la votre si aimable du 6 septembre 1923 à laquelle je crois bien que je n'ai pas
repondu. Veuillez m'excuser. Je vous remercie
infiniment de n'avoir pas perdu après tant
d'années le souvenir du frère d'une grande et
infortunée artiste.

Veuillez agreer, Madame, mes respectueux
hommages - P. Claudel

Fig 33 *Paul Claudel le bras passé autour d'un buste de Camille,*
photographie, 1955, Paris, Bibliothèque nationale.

III

Camille Claudel vue par Paul Claudel

« Je la revois cette superbe jeune fille dans l'éclat triomphal de la beauté et du génie, et dans l'ascendant, souvent cruel, qu'elle exerça sur mes jeunes années... Un air impressionnant de courage, de franchise, de supériorité, de gaîté. Quelqu'un qui a reçu beaucoup. » (Claudel, 1951, pp. 3-4) (Fig 33).

Comme Job elle aurait pu dire : « Dieu m'a tout donné, Dieu m'a tout repris. » En août 1905, Paul Claudel publia dans *Occident*, le texte repris dans *l'Art décoratif* de juillet 1913 accompagné de quarante-sept photographies. Ces textes jouèrent-ils le rôle de notice nécrologique ? 1905 fin de la créativité, 1913 sépulture — trente ans hors des vivants, avant la fosse commune.

Mais Paul, qui avait souffert de la jalousie causée par l'abandon de Camille au profit de Rodin, Paul, cependant, que Rodin avait recommandé pour le concours des Affaires étrangères en 1890, Paul avait connu à son tour la passion à Fou-Tcheou. La fin de cette déchirure correspond au début du *Journal*. Dans ce journal, la cinquantaine de mentions concernant Camille de 1909 à 1952, dessinent, juxtaposées un autre portrait du modèle et de son auteur. Quelques citations de Paul Claudel, d'autre provenance, complètent ce double portrait.

1905

Autographe, catalogue Thierry Bodin, 1983, *Paul Claudel à Gabriel Frizeau, Foutcheou*
« La pauvre fille est malade et je doute qu'elle puisse vivre longtemps. Si elle était chrétienne, il n'y aurait pas lieu de s'en affliger. Avec tout son génie la vie a été pleine pour elle de tant de déboires et de dégoûts que le prolongement n'en est pas à désirer. »

1909

Journal I, pp. 103-104
5 septembre
« Baptême de Pierre, consacré ensuite à la Ste Vierge.

La table ronde de famille avec les 3 générations, mes parents, ma femme et son père, mes enfants dans leur petite chaise, ma sœur et son fils.
A Paris, Camille folle. Le papier des murs arraché à longs lambeaux, un seul fauteuil cassé et déchiré, horrible saleté. Elle énorme et la figure souillée, parlant incessamment d'une voix monotone et métallique. »

1911

R.M. Paris, 1984 p. 86 « 2 lignes raturées »
27 novembre
« Camille à quatre heures du matin s'est sauvée de chez elle, on ne sait pas où elle est. »

1913

Journal I, p. 247
Mars
« Mon père gravement malade depuis une semaine. Je recule de partir sans raison, par paresse, par désir secret d'arriver trop tard. Le 1er mars télégramme urgent.
... L'enterrement le 4
Camille mise à Ville-Evrard le 10 au matin.
J'ai été bien misérable toute cette semaine.
Les folles à Ville-Evrard. La vieille gâteuse. Celle qui jasait continuellement en anglais d'une voix douce comme un pauvre sansonnet malade. Celles qui errent sans rien dire. Assise dans le corridor la tête dans la main. Affreuse tristesse de ces âmes en peine et de ces esprits déchus. »

1913

Claudel et Mauriac, 1978, pp. 116-118
Claudel à l'abbé Fontaine
13 mars
« Francfort
Monsieur le curé, Me voici de retour ici, après ce triste séjour en France, toutes affaires réglées. Je regrette profondément que le temps m'ait manqué pour aller causer une seconde fois avec vous. Ma sœur a pu être mise à Ville-

Evrard sans résistance et sans scandale. Nous n'avons pas été peu étonnés en visitant la chambre immonde où elle vivait d'y trouver un paroissien et aux murs 14 crucifix découpés dans le journal « La Croix » et fixés par des épingles. Elle faisait son chemin de croix ! La première chose qu'elle a faite en arrivant à Ville-Evrard a été de demander l'aumônier et de manifester instamment le désir de faire ses Pâques ! C'est bien étonnant, car elle n'avait jamais eu d'idée religieuse jusqu'ici. Malheureusement dans cette maison laïcisée, il n'y a pas d'aumônier. C'est le curé de Neuilly s. Marne qui vient quand on en manifeste le désir. Le connaissez-vous et pourriez-vous lui recommander ma pauvre sœur ? — J'ai rencontré auprès de tous mes amis dans ces tristes circonstances la plus grande bonté et le plus grand désir de m'aider. — Ma sœur est calme et paraît satisfaite.

Veuillez agréer, Monsieur le Curé, mes respectueux hommages. Priez pour nous. »

16 ou 17 mars

« Merci de votre charitable lettre et de tout ce que v[ous] pourrez faire pour ma pauvre sœur. Avant d'aller la voir prenez l'avis de M. le curé de Neuilly et surtout cachez-lui les relations que v[ous] avez avec moi, sans quoi elle v[ous] imputerait aussitôt les desseins les plus noirs. »

1913

Claudel/Gide *Correspondance*, 1949, pp. 211-212

22 mars

Francfort

Cher ami, Merci de votre sympathie. Non mon pauvre père ne s'est pas confessé avant sa mort et c'est un grand remords pour moi... Ma mère est revenue à sa foi traditionnelle. Quant à ma sœur Camille, je viens de la conduire dans une maison de santé. Vous voyez que je viens de passer par de mauvais moments. Oui j'ai bien reçu le manuscrit. Merci encore. Je vous serre la main. PC »

2-11 mai

Journal I, p. 254

« Tristes révélations sur C. (ou G. = Gide ?)

12 août

Journal I, p. 259

« Un fou, *un aliéné* »

23 août

Journal I, p. 260

« Vendredi, Ville Evrard »

19-20 octobre

Journal I, p. 265

« La dernière chose qu'ait faite ma sœur, est une couverture en morceaux de soie de ses vieilles robes pour ma petite fille. Je regarde ces larges fleurs éclatantes et toutes diverses, écloses sous les doigts d'une folle. »

Décembre

Journal I, p. 268

« Atroces calomnies contre nous à propos de l'internement de Camille à Ville-Evrard de Lelm et des Thierry dans *l'Avenir de l'Aisne* et diverses feuilles de chantage, dénonçant un "crime clérical". C'est bien. J'ai reçu tant de louanges injustes que les calomnies sont bonnes et rafraîchissantes ; c'est le lot normal d'un chrétien. »

1914

Journal I, p. 296

Août

« Camille va à Enghien. Berthelot me raconte les événements. Paris désert, silencieux et purifié. »

1915

Note Jacques Petit, p. 1238

7 juin

Claudel à Frizeau

[document de comparaison]

« J'ai vu en Italie la grande actrice Eleonore Duse... Après tant de gloire et d'argent, elle agonise seule et pauvre dans une triste pension de Florence. Mais cette mort a sa beauté. »

Mai-juin

Journal I, p. 329

« Avignon, je retrouve ma femme. Le lendemain Mondevergues, visite à ma sœur. Beaucoup maigri, jaune, l'œil brouillé. Mieux normalement. Elle me parle avec estime et sympathie des sœurs et des médecins. »

Juin

Journal I, p. 331

« De Mondevergues, la pauvre Camille envoie un chapelet à maman faits (sic) avec une graine en forme de cœur qu'on appelle "Larmes de Job". »

1918

Journal I, p. 415

11 juin

« Lettre de Louise de Massary à son frère Paul figurant dans le *Journal* :
Comment arriverons-nous jamais à payer toutes nos dépenses, la pension de Camille etc... ? Maudit argent ! »

1919

Journal I, p. 460

Décembre

« Visite à la Glyptothèque [de Copenhague]... Il manquerait l'admirable buste de Rodin lui même par ma sœur. » (Fig 34)

1920

Journal I, p. 494

Octobre

« Camille dans sa maison de fous d'Avignon, maigre, toute grise, sans dents, ne mangeant que la nourriture qu'elle cuit elle-même. »

1921

Abbé Mugnier, *Journal,* 1985, p. 372

15 janvier

« Claudel... est le Turelure de *l'Otage,* l'homme fort qui se débarrasse de ce qui le gêne. »

1925

Journal I, p. 667

24 mars

« Avignon. Mondevergues. Ma pauvre sœur Camille edentée, délabrée, l'air d'une très vieille femme sous ses cheveux gris. Elle se jette sur ma poitrine en sanglotant. Lyon. »

1927

Journal I, p. 768

Avril

« Belle traversée... Une convertie avec moi, Mme John Woodruff Simpson qui a connu ma sœur chez Rodin, 126 Fifth Avenue. »

Août

Journal I, p. 780

« A Avignon avec Henri et Pierre pour voir ma sœur Camille. Rentre à Paris le 18. Je repars

Fig 34

Fig 34
Camille CLAUDEL
Rodin. Bronze, 1888
Paris, Petit Palais.

pour l'Amérique avec ma fille Marie et 5 domestiques. »

Journal I, p. 781

« Choses douloureuses de mon séjour en France. L.B. Quintin, ma vieille sœur Camille à Mondevergues avec son triste chapeau de paille perché sur son crâne et sa robe de toile jaune, le pauvre [...] à qui sa fiancée rend sa bague. Dieu est avec les affligés. »

1930

Journal I, p. 918

15 juin

« Mondevergne (sic), Camille, vieille, vieille, vieille ! la tête remplie de ses obsessions, elle ne pense plus à autre chose, me sifflant à l'oreille tout bas des choses que je n'entends pas. Elle me donne un chapelet gris qu'une sœur a fait pour elle, fabriqué avec cette graine grise qu'on appelle "larmes de job". A toute vitesse sur les routes droites ! 70, 80, 90, 100 km. »

Août

Journal I, p. 929

« Le lendemain Camille à Montevergne, vieille, vieille. Le Musée Calvet, mon buste enfant. » (Fig 35)

1932
Journal I, p. 1011
12-13 septembre
« Voyage à Aix pour voir Darius Milhaud... Vu Camille. »

1933
Journal II, p. 38
11-12 septembre
« Voyage à Avignon avec Margotine et Henri Vu Camille à Mondevergue, Terriblement vieille et pitoyable, avec sa bouche meublée de quelques affreux chicots. Honte de moi-même en la voyant si pauvre et moi dans l'affluence, mais que faire ? C'est elle qui veut vivre à la 10ème section. Le directeur est mort la veille. Elle me dit que "ce sera son dernier hiver" et me parle de son enterrement. Retour. Tempête et pluie terrible. »

1934
Journal II, p. 68
26 août
« Cécile de Massary m'écrit que Louise est gravement malade d'une crise cardiaque. Quia delectasti me, Domine in factura tua-PS XCI.5 - l'action providentielle de Dieu dans l'histoire.
7 septembre
à Avignon voir Camille avec Henri. »

Fig 35

1935
Journal II, p. 99
17-18 juillet
« En auto avec Henri... L'hôtel dans la forêt et puis Camille à Mondevergue, Avignon, l'épicerie Chabas. »

1936
Abbé Mugnier, *Journal,* 1985, p. 556
3 février
« Claudel qui blâmait comme moi la sécheresse du catéchisme reprochait à ce dernier d'avoir mutilé le Décalogue en supprimant cet article : "Tu ne feras pas de sculptures". »
20 juillet
Journal II, p. 152
« Livre de Judith Cladel sur Rodin. Cette lente dégradation. Cette fin sinistre. Influence de Camille. »
5 août
Journal II, p. 153
« Avignon. Camille avec Roger. Les 2 demoiselles du Fort St André. »

1937
Journal II, p. 215
Décembre
« Camille et ses premiers essais de dessin et de sculpture. Le sculpteur Boucher à Nogent-sur-Seine. Paul Dubois - Rodin - »

1938 ou 1939
Journal II, p. 1005
Lettre de Camille collée dans le *Journal* de Paul. Allusion à la mort de Jacques de Massary (1938)
« Mon cher Paul,
Hier, samedi, j'ai bien reçu les cinquante francs que tu as bien voulu m'envoyer et qui me seront bien utiles, je te l'assure (l'économat ne m'ayant pas encore payé les cinquante francs qu'il me doit, malgré qu'on ait un bon il y a plus d'un mois). Tu vois combien il y a de difficultés dans cet asile, et qui sait, si ce ne sera pas encore pis dans quelque temps.
Je suis bien fâchée de savoir que tu es toujours souffrant, espérons que cela se remettra peu à

Fig 35
Camille CLAUDEL
Jeune Romain. Bronze, 1887
Avignon, musée Calvet.

peu. J'attends la visite que tu me promets pour l'été prochain mais je ne l'espère pas ; c'est loin Paris, et Dieu sait ce qui arrivera d'ici là ?

En réalité, on voudrait me forcer à faire de la sculpture ici, voyant qu'on n'y arrive pas, on m'impose toutes sortes d'ennuis. Cela ne me décidera pas, au contraire.

A ce moment des fêtes, je pense toujours à notre chère Maman. Je ne l'ai jamais revue depuis le jour où vous avez pris la funeste résolution de m'envoyer dans les asiles d'aliénés ! Je pense à ce beau portrait que j'avais fait d'elle dans l'ombre de notre beau jardin. Les grands yeux où se lisait une douleur secrète, l'esprit de résignation qui régnait sur toute sa figure, ses mains croisées sur ses genoux dans l'abnégation complète : tout indiquait la modestie, le sentiment du devoir poussé à l'excès, c'était bien là notre pauvre mère. Je n'ai jamais revu le portrait (pas plus qu'elle). Si jamais tu en entends parler, tu me le diras.

Je ne pense pas que l'odieux personnage dont je te parle souvent ait l'audace de se l'attribuer, comme mes autres œuvres, ce serait trop fort, le portrait de ma mère ! Tu n'oublieras pas de me donner des nouvelles de Marion ?

Dis-moi comment va Cécile ? Arrive-t-elle à surmonter son chagrin ? Je n'ose t'en dire davantage de peur de rabâcher toujours la même chose !

Bien des souhaits à toi et à toute la famille.

Ta sœur en exil, Camille. »

1942

Journal II, p. 391

24 février

« M. Sureau m'apprend que par jugement en date du 13 fev. je suis nommé Administrateur à la personne et aux biens de ma sœur Camille. Je lui écris pour que les pièces nécessaires me soient envoyées. »

14 août

Journal II, p. 409

« Mauvaises nouvelles de ma sœur Camille tombée dans le gâtisme et qui souffre des restrictions. »

8 décembre

Journal II, p. 426

« Une lettre de Mondevergues m'avertit que ma

pauvre sœur Camille va de plus en plus mal et me fait prévoir sa mort, qui sera une délivrance. 30 ans de prison chez les fous, de 48 à 78 ans. Je me rappelle cette jeune fille splendide, pleine de génie, mais ce caractère violent, indomptable ! »

Journal II, p. 427

« Qu'est devenu le Persée, une des dernières œuvres de ma sœur ? Persée du bras droit élevant verticalement au-dessus de lui la tête de Méduse, qu'il regarde reflétée dans ce miroir qu'il tient de la main gauche. »

(infra Fig 38)

12 décembre

Journal II, p. 428

« Je finis par obtenir le carnet pour Camille et par toucher les 5 trimestres d'arriéré sur la Pension viagère. »

1943

Journal II, p. 452

10 mai

« Lettre du Medecin de Montdevergues me disant que ma pauvre sœur Camille est tombée dans le gâtisme et que l'on craint des complications cardiaques. »

18 août

Journal II, p. 456

« Lettre de Nelly me parlant de ma pauvre sœur Camille q[u]'elle est allée voir à Montdevergues. »

« 15 août 1943 — Montfavet —

Mon cher Paul,

Je suis pour quelques jours à Montfavet, près de Montdevergues, et rentrerai le 21 août à Nancy (14 place Carnot).

Je suis allée voir votre sœur Camille, comme je vous l'avais promis — Elle est, en effet, en bien pitoyable état physique et sa vie ne paraît devoir se prolonger plus de quelques mois ou une année — Néanmoins elle reste aimable, gracieuse, et sa doctoresse et ses infirmières lui sont très attachées. Elle n'a plus d'angoisses mentales ni de manies de la persécution — Elle paraît en repos — quand je lui ai dit venir de votre part, elle m'a pris les deux mains, me remerciant avec une effusion touchante, vous êtes la seule notion vivante qui lui reste de son passé — Si vous pouviez affronter ce voyage (je sais que c'est dur, j'ai fait 24 heures de route restant en gare à 3 h. du matin jusqu'à l'ouverture (6 heures) des portes ! Mais pour vous ce serait moins long), si vous pouviez, après les grosses chaleurs, donner à votre sœur la joie de votre présence, sa fin s'en trouverait adoucie — Elle a de l'œdème provenant de carence alimentaire... Sa doctoresse dit qu'un petit paquet (par poste c'est plus sûr) tous les 15 jours seulement avec du beurre — œufs — sucre ou confiture — ou gâteau cake par exemple fait chez vous, de bonne qualité, de marchandise loyale, lui serait bien nécessaire — c'est difficile, mais on arrive à faire des tours de force pour les pauvres malades — seulement 1/4 de beurre par quinzaine — ou moins — ce serait suffisant — à Brangues vous avez plus de facilités — Je vais voir votre sœur tous les jours, elle « dévore » ce que je lui apporte — un peu de lait de mon déjeuner, des raisins, mais pas de beurre ici ! — Les œufs seraient très bien aussi. J'ai été heureuse de voir ce visage si reconnaissant, si épanoui pour une petite visite — Je l'ai embrassées pour vous, mon cher ami, et lui ai donné tout de suite toute ma sympathie — Affections autour de vous — Je sais que Serge va heureusement mieux — Croyez à ma fidèle amitié.

Nelly Méquillet »

14 septembre
Journal II, p. 460
« Aujourd'hui je devais aller à Avignon avec M. Majeczki voir ma sœur, mais fortement enrhumé j'ai du renoncer à ce voyage. »

20-21 septembre
Journal II, p. 461
« Voyage en auto à Avignon pour voir ma sœur Camille. Arrivé à 7h. Couché au Prieuré à Villeneuve-les-Avignon.
... Le directeur me dit que ses fous meurent litteralement de faim : 800 sur 2 000 ! La doctoresse sage et frêle. Camille dans son lit ! une femme de 80 ans et qui paraît bien davantage ! L'extrême décrépitude, moi qui l'ai connue enfant et jeune fille dans tout l'éclat de la beauté et du génie ! Elle me reconnaît, profondement touchée de me voir, et répète sans cesse : Mon petit Paul, mon petit Paul !! L'infirmière me dit qu'elle est en enfance. Sur cette grande figure où le front est resté superbe, génial, on voit une expression d'innocence et de bonheur. Elle est très affectueuse. Tout le monde l'aime me dit-on. Amer, amer regret de

l'avoir si longtemps ainsi abandonnée ! Retour dans l'après-midi, sans déjeuner. Arrivée à Brangues à 4h. » **(Cat 30 e)**
Journal II, p. 462
Octobre
« Réflexions sur la sculpture de ma sœur qui est une confession tout imprégnée de sentiment, de passion, du drame intime. La 1re œuvre, *l'Abandon* (Fig 20), cette femme qui s'abandonne à l'amour, au génie. 2. *La Valse* **(Cat 5)**, dans un mouvement spiral et une espèce d'envol elle est emportée dans le tourbillon de la musique et de la passion. 3. *La Vague* (Fig 22), les trois baigneuses qui se tiennent par la main et qui attendent l'écroulement de l'énorme vague au-dessus d'elles. 4. *L'Âge mûr* **(Cat 7)**, l'œuvre la plus déchirante. L'homme lâche, emporté par l'habitude et la fatalité mauvaise, cette jeune femme à genoux derrière lui et séparée qui lui tend les bras. 5. *La Cheminée*. L'abandonnée qui regarde le feu [68]. 6. La dernière œuvre *Persée* **(Cat 39** et infra Fig 38). Le héraut regarde dans un miroir qu'il tient de la main gauche la

Cat 30

tête de Méduse (la folie !) que le bras droit lève verticalement derrière lui. Dans mon dernier voyage j'ai été frappé de ce large visage, de cet énorme front dégagé et sculpté par l'âge. Avons-nous fait, les parents et moi, tout ce que nous pouvions ? Quel malheur que mon éloignement continuel de Paris. »
Journal II, p. 463

19 octobre

« Aujourd'hui à 11 1/2 je reçois le telegramme suivant de Montdevergues : Sœur très fatiguée. Jours en danger. Medecin chef.
Le même jour au soir — 5h. — Nouveau Telegramme : Votre sœur décédée. Inhumation jeudi 21 octobre — Le même jour les journaux et la radio annoncent la mort de Romain Rolland : dementie plus tard [69].
Ma sœur ! Quelle existence tragique ! A 30 ans quand elle s'est aperçue que Rodin ne voulait pas l'épouser, tout s'est écroulé autour d'elle et sa raison n'y a pas résisté. C'est le drame de *l'Âge mûr*.
"Mon petit Paul"» Elle m'embrasse. Mais elle a hâte de revenir à ce sommeil plein de douceur. »
Journal II, p. 464

20 octobre

« Montdevergues le 20 octobre [19]43 - M. l'Amb[assadeur] - C'est l'aumônier de M[ont-]devergues q[ui] vient v[ous] présenter ses condoléances tout d'abord et ensuite v[ous] dire q[ue] Mlle Claudel a été bien soignée. - Bonne nature, bien élevée, elle était très aimée dans son quartier et les infirmières avaient pour elle b[eau]-c[ou]p d'attentions. L'aumônier q[ui] v[ou]s écrit allait la visiter souvent et il était toujours reçu d'une façon charmante. Son agonie n'a pas éte bien longue : elle s'est éteinte tout doucement après avoir reçu les sacrements. D'ailleurs elle communiait de t[emps] en temps et toujours avec grande piété. - Ses funérailles ont été bien convenables. Tout en étant un peu gêné pour organiser un service religieux dans un établissemlent comme M[ontdevergues], j'ai eu avec moi un confrère, prêtre alsacien, q[ui] l'a accompagnée au cimetière Montfavet et q[el]q[u]es religieusès de la maison. Le prêtre célébrant portait la chape et

le confrère était en surplis.- M. l'Amb[assadeur], je conserve de Mlle C[laudel] un excellent souvenir et je la recommande au bon Dieu dans mes prières- Veuillez agréer (etc.). - (Signé :) Félix Boutin, Aumônier de Montdevergues-Monfavet. »

1944
Journal II, p. 488

25 juin

« Cette figure de Jeanne d'Arc ressemble beaucoup à ma sœur Camille jeune, telle que l'a representee Rodin dans le marbre dit *La Pensée* (avec une coiffe de mariée berrichonne) »
(Cat 10).
Journal II, p. 496

8 septembre

«Souvenir de la visite que je leur ai faite jadis près de Chateau-Thierry avec ma sœur Camille. »

1947
Journal II, p. 620

15 décembre

« Extrait du catalogue de Matarasso. Rodin Auguste le grand sculpteur. Carte lettre autographe signée de 40 lignes à Octave Mirbeau. 1500 F. »

1948
Journal II, pp. 626-627

21 janvier

« Lettre non datée d'Aug. Rodin à Oct. Mirbeau (communiquée par Matarasso). - « Mon cher M[irbeau] - V[ous] dites dans votre appréciation ce q[ue] je pensais. St Marceau est mort, vive St Marceau[70] sous un autre nom et merci aussi. - Je suis en communication si directe avec vous q[ue] n[ous] pensons de même, c'est peut-être cela qui nous unit, mais cher ami, j'en suis heureux, bien heureux. - Pour Mademoiselle Claudel qui a le talent du Champ de Mars elle est inappréciée presque. V[ous] avez un projet pour elle, vous l'avez fait connaître, malgré le temps de mensonge, vous vous êtes sacrifié pour elle, pour moi, pour votre conviction. C'est votre cœur, Mirbeau, qui est un obstacle, c'est votre générosité qui empêche. - Je ne sais si Melle Claudel acceptera de venir chez vous le même jour que moi, il y a 2 ans que nous ne sommes vus et que je ne lui ait écrit, je ne suis

Cat 30
Paul Claudel à Brangues. Photographie.

donc pas en position de lui rien faire savoir, tout vous incombe. S'il faut que je sois là Melle Claudel en décidera. Je vais un peu mieux par moment quand je suis content, mais que notre vie est cruelle. - Chavannes doit écrire une lettre que q[uel]q[ue]s amis signeront pour le ministre je n'ai pas confiance pour l'instant : t[ous] ont l'air de croire que Melle Claudel est ma protégée quand même, quand c'est une artiste incomprise, elle peut se vanter d'avoir eu contre elle mes amis les sculpteurs et les autres en plus qui m'ont t[ou]j[ours] paralysé au ministère car là on ne s'y connaît pas, ne nous décourageons pas cher ami, car je suis sûr de son succès final mais la pauvre artiste sera triste plus triste alors, connaissant la vie regrettant et pleurant ayant peut être ([peur ?]) d'être arrivée trop tard [sic] victime de sa fierté d'artiste qui travaille honnêtement, ayant le regret de ses forces laissées à cette lutte et à cette trop tardive gloire qui vous donne en change la maladie-T[ou]tes mes amitiés et à Mme Mirbeau.

Rodin 8 chemin Scribe Bellevue S et O.

Ma lettre est trop découragée, qu'elle ne tombe pas sous les yeux de Melle Claudel-je crois que l'adresse de Melle Cl[audel] est t[ou]j[ours] 113 brd d'Italie. »

Journal II, p. 647
   12 juillet

« Laetitia de Witzleben était le nom de cette amie allemande qui donna à ma sœur Camille, cette bible où je lus au retour de N-D. Faut-il voir d[an]s ce nom du symbolisme. »

1949

Journal II, p. 682
   8 mai

« S. Germain en Laye. Le Dr Morhardt, paralysé depuis 35 ans, frère de Mathias Morhardt, ami de Camille. Il me remet un dossier très interessant, lettres d'elle, de [...], de Rodin, de Judith Cladel et me met sur la piste de diverses œuvres disparues de ma pauvre sœur. »

1950

Journal II, p. 754
   28 novembre

« Sur Edouard Drumont qu'admiraient tant ma sœur et mon père, voir Barrès *Mes Cahiers* t XIII p. 12-13. »

Journal II, p. 756
   15 décembre

« Visite de Mme Golscheider qui prépare au musée Rodin une exposition des œuvres de ma sœur. »

1951

Journal II, p. 764
   3 mars

« A l'exp[osition] Thévenet, je suis présenté à une vieille dame de 90 ans, fille d'un notaire de Nogent-s/S. Mme Messéant. Elle se rappelle très bien avoir joué avec mes 2 sœurs. »

Journal II, p. 770
   11 mai

« Fin de l'interrogatoire d'Amrouche. Je termine en m'appuyant sur Isaïe. Ma sœur Camille. »

Journal II, p. 774
   27 juin

« Je termine l'étude consacrée à ma sœur. »

Journal II, p. 790
   16 novembre

« Inaug[uration] au musée Rodin de l'Exposition Camille Claudel. »

1952

Journal II, p. 800
   1er mars

« A la date du 29 fev. M. Marcel Aubert m'accuse reception de la lettre par laquelle je fais don au musée Rodin des 4 œuvres de ma sœur Camille

L'abandon	M
L'Age mûr (3pers.)	bronze
” ”	pl. **(Cat 6)**
Clotho	” **(Cat 2)**

Cecile de Massary a promis de lui donner mon buste en plâtre. »

Journal II, p. 824
   27 novembre

« L. me dit que souvent elle voit sa mère en rêve. - Un jour elle lui a parlé de Camille "qui t'aime beaucoup" et elle l'a vue. Décrite. »

1953

   Octobre

« Camille partie depuis dix ans. Quand je pense à elle, toujours le même goût de cendre dans la bouche, *Miserere mei Domine*. »

IV

Portraits de praticiens

Camille Claudel fait appel en 1899 à un praticien qui, plus tard, sortira de l'anonymat et occupera la première place dans l'art animalier du XXe siècle : François Pompon[71]. Elle le connaît depuis longtemps, c'est un ancien compagnon de l'atelier Rodin où Pompon travaille avec des interruptions de 1886 à mars 1895.

Un ami commun, Ernest Nivet (Fig 36), nous dépeint l'ambiance qui régnait à l'atelier, l'attitude des praticiens entre eux, et leurs relations avec Rodin.

Son historiographe, B. Tillier, nous raconte comment Georges Lenseigne, de Châteauroux, présente Nivet à Rodin, quand ce dernier séjourne avec Camille Claudel en Touraine, durant l'été 1891. Ernest Nivet a obtenu une bourse du Conseil municipal de Châteauroux et du Conseil général de l'Indre, pour entrer à l'Ecole des Beaux-Arts de Paris, mais en décembre de la même année, il va voir Rodin au Dépôt des marbres.

— « Il m'a dit que je perdais tout à fait mon temps... à l'Ecole et en plus que je perdais ce que je savais », écrit Nivet, le 16 décembre 1891, à Jean-Baptiste Bourda, son ancien maître, Directeur de l'Ecole des Beaux-Arts de Châteauroux ; il continue à citer Rodin : « Pour faire au contraire de l'Ecole il faut avoir un tempérament de cheval ! »... « Le moyen le plus énergique à prendre, c'est de faire de la pratique, pour gagner votre journée. Et de temps en temps vous prendrez quelques jours pour faire de la sculpture. Vous ferez beaucoup plus de progrès. Je ne fais pas d'élève. Si vous étiez praticien j'aurais pu vous prendre ici en cette qualité et vous rétribuer. »[72] N'est-ce pas ce genre de conseil que dut suivre Camille Claudel ?

Rodin le charge de terminer une cariatide en

Fig 36

Fig 36
Ernest NIVET modelant *les Ravaudeuses,* plâtre aujourd'hui au musée de Châteauroux
Album Mariani, 1896-1908, t. XI.

pierre déjà mise au point. L'atelier semble ignorer le nouveau. Les praticiens attendent le jugement du maître pour se manifester. Pompon le premier adresse la parole à Nivet, puis Camille Claudel. Tous trois deviennent des amis. Un an plus tard, le 21 décembre 1892, Nivet écrit à Bourda : « Il faudrait faire comme le disait Mademoiselle Claudelle (sic) : travailler chez M. Rodin pendant plusieurs années, c'est-à-dire passer une bonne partie de sa jeunesse chez lui, et puis quand l'on en sort, on n'a rien fait et rien appris... Au moins, en travaillant seul, la moindre des choses que l'on puisse faire est de soi-même, et n'est pas un mélange de l'un et de l'autre comme pour beaucoup de praticiens de M. Rodin qui exposent tous les ans au Salon. »[73]

En 1894 l'hésitation de Nivet à rester chez Rodin, l'attraction et la tyrannie qu'exerce le maître sur son entourage, nous éclairent sur ce

Fig 37

que pouvait ressentir Camille Claudel, toute relation personnelle mise à part. Nivet quitte Rodin en mai 1895 : « Advienne que pourra puisque je cherche la vérité. »[74] Camille Claudel cherche-t-elle autre chose ? Nivet rentre dans sa province natale.

Le don de *Cakountala* au musée de Châteauroux témoigne de cette amitié[75].

En 1893, Pompon seul est chef d'atelier tandis que Camille s'en éloigne. Mais en 1895, il le quitte pour celui de René-Pol de Saint-Marceaux (Fig 37), son rival — à la fureur de Rodin — sans, pour autant, renoncer à accepter des pratiques jusqu'en 1904 commandées par d'autres sculpteurs, comme par Camille Claudel qui, elle, se consacrait à son œuvre personnelle.

Foncièrement indépendant, le praticien (Cat 36) rêve de se ranger aux côtés des statuaires lui aussi, en emportant la commande d'une de ses figures ou d'un portrait. Pompon représente le type de l'ouvrier-artisan, intègre, consciencieux et conscient de la qualité de son travail pour lequel il exige un juste salaire : mécontent, il n'hésite pas à convoquer Rodin devant le tribunal des Prud'hommes.

Interprète intelligent, capable de mener une œuvre — du modelage à la taille du marbre qu'il choisit lui-même. Pompon a gagné la confiance et l'estime de Rodin — dont il se dira plus tard l'élève et l'ami car il reste, malgré l'intermède précédent, en bonnes relations avec lui — et celles de Camille Claudel en travaillant à ses côtés. Il peut apprécier son

courage et sa vaillance, recueillir des confidences car il est le témoin d'une période intense, créatrice, puis douloureuse et déchirée. Son talent ne lui est pas indifférent.

Aussi ne faut-il pas s'étonner qu'il ait pu être à la fois un praticien de choix et un intermédiaire entre ceux qui ont eu maintes fois l'occasion de juger l'excellence de son métier et sa bonté.

Grâce à son livre de comptes, conservé et exposé (Cat 24), nous avons de très précieuses indications sur plusieurs œuvres de Camille Claudel qui sont notées et commandées en 1899.

Le 23 mai 1899, Pompon reçoit trois commandes, dont deux, importantes. Camille Claudel habite alors dans son propre atelier, 19, quai Bourbon.

La première est celle d'un « groupe » en marbre clair de 2,46 ; 1,32 ; 1,10 -

La deuxième d'une « statue » en marbre de 2,10 ; 1,40 ; 0,90 -

La troisième porte le nom de « figurine au foyer » en marbre rose.

De ces trois commandes, une seule est exécutée, la dernière, en marbre fourni par Pompon, au prix convenu de 700 F, dont il reçoit la moitié en décembre 1899, et qu'il intitule « figure assise ». Il s'agit vraisemblablement de la *Femme assise devant une cheminée* de l'ancienne collection de Maigret.

Cat 24

Le 24 avril 1900, nouvelle commande, Pompon précise : « Commande du 23 mai 1899 annulée et reportée :

Le prix de 9 000 F est donné pour l'exécution « du Persée à Mlle Claudel, fourniture marbre blanc clair : 1,90-0, 99-0, 92- mesures réduites d'un quart d'après le modèle en plâtre : 2,46-1, 32-1, 10-

Mise au point et pratique, retouches avec la nature. Les paiements se feront proportionnellement au travail fait en quatre fois :

1 - 2.000 Fr - fourniture du marbre, ébauchage

2 - 3.000 Fr - mise au point

3 - 2.000 Fr - pratique

4 - 2.000 Fr - livraison ».

Le même jour, Pompon s'entend avec Musetti pour la fourniture du marbre et la mise au compas ; 1.000 Fr + 3.000 Fr = 4.000 Fr — et il recopie sur son livre la lettre d'accord à l'orthographe approximative :

... « Lettre d'accord de S. Musetti — 26 avril 1900 — Rue Hallé — Comme il a été convenu entre nous, je m'engage à vous fournir le marbre blanc claire *première qualité* et faire la mise au point à réduction du quart du modèle du groupe Perçè de Melle Claudel pour la somme de quatre mille francs soit environ 1.200 Fr pour le marbre et 2.800 Fr pour la pratique et les transports du modelle à mon attelier du marbre et modèle rendu à mon attelier. Agréez, Monsieur Pompon mes salutations empressé.

S. Musetti

Il y a quatre versements faits par l'entremise de Mr Queval en 1901 : les 8 février, 1er juin, 12 août, 29 décembre, de 1.000 Fr chaque fois, que Pompon reverse intégralement le même jour à Musetti. Il termine la pratique et livre le *Persée* en mars 1902 avant le Salon. Le septième et dernier versement n'arrive qu'en avril pour...

Fig 38

Fig 37
François POMPON taillant pour Saint-Marceaux le buste de Félix Faure en 1895, photographie
Auxerre, coll. M. Jean Julien.

Cat 24
Carnet de comptes de Pompon, pages concernant C. Claudel.

Fig 38
Camille CLAUDEL
Persée et la Gorgone. Marbre, 1898-1902
Coll. part.

« le solde payé par Mr Rodin et fesant le même reçu à Melle Claudel ».

Le *Persée et la Gorgone* (**Cat 39**, Fig. 38), commandés en 1899 par la comtesse de Maigret s'avère trop grand pour la place qu'il doit occuper, sous l'escalier du hall d'entrée. La légère réduction du modèle acceptée en 1900, est exposée au Salon de la Société nationale des Beaux-Arts. On peut donc la dater avec certitude. Quoiqu'« à grandeur naturelle », d'après le catalogue, elle est plus petite que le modèle initial dont les mesures demeuraient encore inconnues.

Il n'est plus question de la statue de 2,10 m, mais, le 24 avril 1900, Pompon note sur son livre : « Finir une vague en onix (sic) vert — prix convenu, exécution 500 Fr » (Fig 22).

Les premiers acomptes ne sont versés qu'en 1902, en deux fois : le vendredi 31 janvier et le 1er mars.

La vague en onyx des *Baigneuses* est donc achevée entre 1900 et 1902. La version, bronze et onyx, exposée en 1905 à la galerie Blot, signalée dans l'atelier par Mathias Morhardt en 1898 est inachevée en avril 1900 quand Camille Claudel la confie à Pompon pour la terminer, ce qui explique que Paul Claudel l'ait vue y travailler : « Ce poème de *la Vague*, je vois dans son atelier du quai Bourbon sous l'ombre agitée des grands peupliers la solitaire en blouse blanche grain à grain qui l'use. Patiemment depuis le matin jusqu'au soir[76]. Moins dur le dur bloc d'onyx vert que le pavé définitif au juvénile enthousiasme répondu par le destin. La voûte peu à peu se creuse »...[77]

Pompon est-il « un de ces ouvriers qui l'exploitent », comme l'écrit Camille à Louis Tissier, le 18 janvier 1902 ? Elle précise encore, le 25 février suivant, à son même correspondant : « La seule chose que je vous demanderais serait de faire tout votre possible pour m'aider à vendre à quelqu'un de vos amis un objet d'art quelconque pour m'aider à payer mes ouvriers

qui lorsqu'ils attendent ne travaillent plus et je voudrais bien que mon Persée soit au salon ! »

Les portraits, une fois encore, ne coïncident pas. Mais le livre de comptes nous révèle d'une part le rôle joué par Pompon dans l'exécution de la taille et d'autre part le paiement fait par Rodin, au profit de Camille, en 1902 — quatre ans après la « rupture définitive ».

A cet intérêt s'ajoute le fait que Pompon a réalisé deux portraits de Camille Claudel — un pour Rodin : une *Pensée*, dont il se souviendra, et l'autre, la tête de la *Gorgone*, autoportrait (Fig 38 et **Cat 39**).

Il faut souligner la différence des deux réductions du *Persée* : celle exécutée par Pompon est à l'identique du grand plâtre, tragique et très lisible. La plus petite, acquise par le musée Rodin a été modifiée, le drame est pacifié, les traits des visages se fondent dans l'air, elle est plus pure et plus classique. Le traitement du marbre est très semblable à celui de la *Femme assise devant une cheminée* du musée de Draguignan.

Dans les œuvres personnelles de Pompon, on retrouvera les mêmes caractéristiques de vigueur enveloppée de douceur, de fluidité lumineuse rythmée par des lignes vigoureuses sur une surface très polie.

Peut-on parler de similitude, d'idées concordantes se rattachant à d'anciennes années de travail en commun dans la manière d'aborder le marbre, la matière, pour en dégager l'esprit ? Ou, verra-t-on la trace de l'entente qui put s'établir entre deux tempéraments d'exception, qui se retrouvera dans l'intériorité des œuvres mûries par la réflexion, chez Camille Claudel et chez Pompon ?

Liliane Colas

Cat 36

Cat 36
François Pompon, photographie figurant au revers de sa carte d'exposant au Salon de la Société des Artistes français de 1896.

V

Camille Claudel vue par les écrivains et personnalités de son temps

Classement par ordre alphabétique d'auteur
Les références des textes se trouvent dans la
Bibliographie, p. 81

Alain-Fournier (1886-1914)
à Jacques Rivière (1886-1925)

1907, 3 avril

« C'est pourtant avec lui qu'à une devanture de l'avenue de l'Opéra j'ai vu des reproductions de Camille Claudel. Ce que dit son frère de Rodin est comme toujours "extrêmement juste et extrêmement injuste". Rodin est un rustre dont chaque groupe tend à repousser la lumière et à reformer le bloc primitif. Très certainement il a été cela. Mais il l'a été avec génie. J'ai vu de Camille Claudel *la Danse* et *la Conversation.* Le plus grand éloge que je puisse faire de la danse, c'est de dire que certainement Claudel s'en est inspiré pour les vers de la fin de *Partage de Midi.* Tu sais : *les petits pieds cueillis...* Des mots m'avaient grandement surpris en lisant les critiques sur cette élève de Rodin : élégance - amusant - lumière. Combien ils sont justes, mais pas encore assez justes : leur sens est trop pauvre et ne dit pas assez le génie. La danseuse lancée en arrière, la tête penchée sur l'un des deux bras étendus, danse. Comme hors du tourbillon d'étoffe, elle danse. Le bout du pied touchant seulement à la roue sur la mer, elle danse [Il s'agit de *la Fortune*]. Ce n'est presque plus qu'un mouvement, d'une sveltesse indicible — d'une furie qui fait penser par contraste à cette Carmen endormie au Luxembourg — d'une séduction... et surtout d'une jubilation ! — On ne sait si on est inquiet de se sentir ainsi entraîné par cette sirène à castagnettes ou si, de la voir ainsi se jouer avec la lumière, la diviser, l'empoigner, puis se mêler à elle, on ne va pas éclater de rire.
La Conversation. Primitivité. Corps qui écoute, corps qui confie, corps qui épie : trois femmes nues assises — comme trois singes. Menu chef-d'œuvre : c'est un bloc aussi, mais dont il ne reste plus que trois fines arêtes toutes transpercées, détaillées par, peut-être, le feu du milieu et la lumière d'alentour. Encore, on ne sait si on est effrayé de se sentir penché vers ce premier secret humain, ou si on est prodigieusement amusé. Surtout la joie dont parle Claudel : la joie de cette main féminine pétrissant. J'ai vu une photographie de *la Petite Châtelaine.* Je pense que c'est aussi séduisant : de délicatesse, d'élégance et d'expression. — Rodin a dit d'elle : « C'est moi qui lui ai montré où elle trouverait de l'or, mais cet or est à elle. » — On m'avait dit que Rodin était insupportablement autoritaire et je savais que Camille C. lui ressemblait en ce point. Il paraît que dans sa jeunesse elle soumettait toute la maison à son art : les uns préparant la terre, les autres servant de modèles. Les uns après les autres tous l'ont fuie. Paul Claudel fut je crois son dernier fidèle. — Elle et Rodin ne pouvaient s'entendre. »

1907, 11 juin

« J'ai dépouillé ma chambre d'un tas d'horreurs, que par habitude et indifférence, j'y laissais. J'ai maintenant sur ma cheminée un petit socle de velours, sur lequel invinciblement j'imagine *la Danse*, ou tout au moins *l'Imploration* ou une statuette de Maillol. Ne pourrai-tu pas, un de ces jours, chez Blot, demander combien *l'Imploration.* On a des surprises quelquefois. Et un Maillol ? »

Bigand-Kaire (1847- ?)

Capitaine au long cours, ami de Rodin, lui envoie du vin, des figues, des amandes, des mandarines ; fait des échanges tout aussi poétiques de soieries orientales ou de fragments d'antiques contre des sculptures, des dessins ou des reproductions d'œuvres de Rodin.

s.d.

« Toutes mes amitiés, cher Maître et ami, ainsi

qu'à votre gracieuse élève Mademoiselle Camille Claudel. »

s.d.

Scey-sur-Saône

« P.S. J'ai reçu la "Vieille femme" de Mlle Claudel mais en morceaux, une dizaine, j'ai fait les raccords nécessaires, on n'y voit rien. »

1898, 31 mai

« J'ai vu Mlle C. elle admire comme bien vous le supposez votre Balzac mais elle m'a dit textuellement "la gloire de M. Rodin n'avait nullement besoin de souscription et son talent est au-dessus de tout ce tapage". Naturellement je n'ai pas autrement insisté. »

...[il finit en « offrant ses amitiés à son excellente femme » — Rose Beuret est intronisée définitivement pour Bigand-Kaire]

1916, 29 novembre

« Chère Amie [Marcelle Tirel ? secrétaire de Rodin irrégulièrement entre 1909 et 1913]...

Je vous dirais seulement aujourd'hui — au nom de la sainte et immanente justice, qu'il faut absolument maintenir et même un peu augmenter, si possible, les subsides que le Maître faisait parvenir à "la grande et belle artiste" comme vous la nommez si bien et si justement, aussi la pauvre démente que vous savez. Je n'ajoute rien aujourd'hui, je n'en ai pas le courage car pendant la lecture que je viens de faire des 30 lettres que j'ai conservées de cette pauvre fille, les premières datant de 25 ans [1891], je n'ai pu retenir mes larmes en songeant qu'un talent pareil confinant au génie, de l'aveu même de son maître avait sombré dans la folie faute de... de...

Mais à très bientôt chère amie, et bien cordialement de votre tout dévoué. »

Claude Debussy (1862-1918) à Robert Godet.

1891, 13 février

« CHER AMI,

Malgré tout, je me repens de vous tenir si loin de moi, j'ai eu, ces derniers temps, et n'aurais eu à montrer qu'une âme si visiblement défaite qu'il valait mieux garder le silence ! ou j'eusse aimé vous avoir là près de moi et, cœur à cœur, vous dire mes petites peines et mes grandes souffrances ; [...]

Cat 23

D'ailleurs je suis encore très désemparé la fin tristement inattendue de cette histoire dont je vous avais parlé ; fin banale, avec des anecdotes, des mots qu'il n'aurait jamais fallu dire, — je remarquais cette bizarre transposition, c'est qu'au moment où tombaient de ces lèvres ces mots si durs, j'entendais en moi ce qu'elles m'avaient dit de si uniquement adorable ! et les notes fausses (réelles, hélas !) venant heurter celles qui chantaient en moi, me déchiraient, sans que je pusse, presque, comprendre. Il a pourtant bien fallu comprendre, depuis, et j'ai laissé beaucoup de moi, accroché à ces ronces, et serai longtemps à me remettre à la culture personnelle de l'art qui guérit tout ! (ce qui est une jolie ironie, celui-ci contenant toutes les souffrances, puis on les connaît ceux qu'il a guéris). Ah ! je l'aimais vraiment bien, et avec d'autant plus d'ardeur triste que je sentais par des signes évidents que jamais elle ne ferait certains pas qui engagent toute une âme et qu'elle se gardait inviolable à des enquêtes sur la solidité de son cœur ! Maintenant reste à savoir si elle contenait ce que je cherchais ! si ce n'était pas le Néant ! Malgré tout, je pleure sur la disparition du Rêve de ce rêve ! Après tout, c'est peut-être moins désolant ! Ah ! ces jours où je sentais qu'il fallait mourir, et où c'était moi-même qui veillais sur cette mort, que jamais plus je ne les revive !... »

Cat 23

Claude Debussy au piano, chez Chausson à Lusancy
1892

Gustave Geffroy (1855-1926),
La Vie artistique.

1892, p. 337

« Dans l'allée centrale la tête pensive et énergique de *Rodin* apparaît sculptée fortement et délicatement par Mlle Camille Claudel, avec la belle compréhension de l'intelligence du grand artiste qu'elle avait à faire revivre. »

1893, p. 380

« Une osteologie de vieille est mise au jour par la *Clotho* **(Cat. 2)** de Mlle Camille Claudel qui a exprimé de plus par la *Valse* **(Cat. 4)** le contact amoureux et la langueur de deux êtres enlacés, perdus dans les étoffes volantes. »

1894, pp. 147-148

« Mlle Camille Claudel a envoyé une figure d'un gr. : *le Dieu envolé* **(Cat. 5)**, une femme à genoux, les mains tordues, belle de tout le mouvement de son corps, le torse renversé, la face levée. C'est d'elle aussi, cette tête d'enfant aux yeux fiévreux, presque hallucinés, une expression neuve, expressive, de l'être naïf, inquiet, qui cherche à savoir. »

1895, pp. 224-225

Je pense à Melle Camille Claudel, qui va vientôt réaliser un art particulier, personnel, d'observation directe, si j'en crois la précieuse indication de *ce Croquis d'après nature. Bavardes*, quatre femmes rassemblées dans une encoignure, l'une qui raconte quelqu'histoire, les autres qui écoutent, apparition de vérité intime, poésie de la vieillesse et de l'ombre. C'est une merveille de compréhension, de sentiment humain, par les pauvres corps réunis, les têtes rapprochées, le secret qui s'élabore, et c'est aussi, par l'ombre de l'encoignure, le mystère de clair-obscur crée autour de la parleuse et des écouteuses, une preuve qu'une force d'art est là, prête à créer des ensembles.

1898, p. 349

« A la Société nationale des Beaux-Arts le bronze d'*Hamadryade* de Melle Claudel, donne une extraordinaire impression de vie nerveuse auprès de tous ces marbres polis, usés, alanguis, qui semblent exécutés par le même praticien. Cette fois, une fièvre et une volonté d'artiste se manifestent, les plans du visage, du col, des épaules, de la gorge, portant une marque personnelle imposée à ce beau marbre qui semble doré au soleil. Cette chaleur ambrée convient à la libre fille sculptée par Melle Claudel. Le visage d'une expression sauvage, est tout illuminé d'un rire ingénu, naturel. La vivante apparition est bien nommée hamadryade, elle apporte ici avec elle l'humeur joyeuse et farouche des forêts. »

1899, p. 432

« De Melle Claudel un marbre énergiquement représente un *Jeune Homme en costume Henri II*. L'artiste expose aussi une *Parque*, une maquette de la statue de *Persée*, un *Âge mûr* **(Cat 7)**, groupe fantastique, toutes œuvres d'un mouvement général, d'une force et d'une vie nerveuse singulières. »

1900, p. 291

« Et Melle Camille Claudel, qui a traduit en marbre la *Profonde pensée*, expose une autre statuette : *le Rêve au coin du feu*, qui ne cède en rien à la première pour la grâce robuste, pour la magnifique expression vivante que l'artiste donne à chaque fragment qu'elle ébauche comme à chaque œuvre qu'elle achève. »

Henri Godet (1863-1937)

1904, 15 octobre

« Mme Claudel a de jolies bronzes, notamment la *Fortune*, qui sert de réclame à un marchand du Boulevard auquel on a permis la pose d'une plaque portant son nom et son adresse, il n'y manque que le prix et le taux de l'escompte pour la vente en gros. »

1904, 1er novembre

« Mlle Camille Claudel m'écrit, spirituellement, qu'elle est bien heureuse que *La Fortune* (c'est le titre de sa jolie composition), qui lui échappe toujours, puisse servir de réclame à un autre... »[78]

Robert Godet et G. Jean-Aubry

1942

G.J.-A. « Or Rodin avait une élève dont il disait (le dit-il dans cet entretien ? il le dit maintes fois, sous une forme ou sous une autre, pour prévenir le malentendu qui pouvait s'attacher dans ce cas au mot d'« élève ») : « Je lui ai peut-être indiqué où l'on trouve de l'or, mais l'or qu'elle en rapporte est bien à elle. »

G. J.-A. : Camille Claudel ? Cette élève, bientôt

devenue son propre maître, dont Rodin a figuré, dit-on, les traits dans sa figure de la *Pensée ?* **(Cat 10)**

R. G. : Camille Claudel. Et c'est elle, en personne, que délégua ce hasard professionnel à répétitions ou cette diligente providence qui valut au jeune Debussy de premières rencontres avec la géniale artiste, préludes aux réunions qu'ils auraient plus tard à mon foyer où elle était déjà, et fut toujours davantage, la très respectueusement bienvenue.

G. J.-A. : Mais toujours est-il, à propos de musique, que Camille Claudel...

R. G. : ... redoutait comme vous et moi l'ennui qu'inflige aux auditeurs, à tort ou à raison, une musique qui ne les intéresse pas. Cet ennui, plus fréquent chez elle que chez nous, comparé au nombre des épreuves subies, l'attestait-il inapte à concevoir qu'un langage formé avec des sons eût sa fin en lui-même, ou simplement trop ignorante de son vocabulaire pour y chercher des clefs ? Eh bien ! la musique du jeune Debussy ruina l'hypothèse de l'inaptitude. Non seulement Camille Claudel l'aborda sans méfiance et lui prêta une curiosité de plus en plus éveillée, mais elle finit par l'écouter avec un recueillement qui n'avait rien d'une résignation. Et le temps vint où on l'entendit, quand le pianiste quittait son piano les mains glacées, lui dire en le conduisant vers la cheminée : « Sans commentaire, Monsieur Debussy. » Elle avait été à bonne école, et n'aurait pu, sculptrice, offrir au musicien plus précieux hommage.

G. J.-A. : Mais, lui, que dut-il à elle ?

R. G. : D'abord une évidence qui lui sauta aux yeux, alors qu'elle n'était encore qu'un pressentiment. Dans l'œuvre sculptée de Camille Claudel se fixait un type de beauté qu'esquissaient déjà ses gestes. Ils étaient presque tous générateurs de cette œuvre par le labeur de l'ouvrière vaquant au métier de son art : elle taillait, par exemple, ses marbres elle-même. Or un petit défaut physique (léger déhanchement, légère claudication) ne faisait que rendre plus sensible l'effort en elle, l'effort par elle, de la nature progressive vers cette beauté dont le caractère était, une fois parfaite, d'avoir atteint au style sans passer par l'académie. Première leçon, si vous voulez.

G. J.-A. : Voyons la seconde.

R. G. : Ce type de beauté réalisée par une femme — qui fut, sauf erreur, le seul génie féminin dans l'art où elle créa — devait exercer un spécial et salutaire attrait sur Debussy, parce qu'à une éloquence plastique d'un pouvoir extraordinaire s'y mêlait un accent profond d'intimité, comme un écho d'émotions secrètes ou familières monté du for intérieur où elles chantaient à mi-voix, et tel que jamais sculpteur ne perçut rien de pareil dans le souffle de l'ange penché sur son épaule à l'heure de l'inspiration... Si donc le jeune Debussy a, de tout son cœur, cédé à l'attrait de la sculpture claudélienne, tenez qu'il y reconnut la marque de cette « bipolarité » mystérieuse et, mystérieusement réunies, les conditions de son propre équilibre.

G. J.-A. : En dehors de cette confirmation, pensez-vous qu'il ait dû à Camille Claudel une part de son développement visuel dans un sens plus général ?

R. G. : Il y avait, me semble-t-il, un accord préétabli sur quelques points et ce sont les seuls que j'ai retenus. Indifférence, par exemple, aux « conquêtes » de la technique impressionniste, ce qui n'impliquait pas un parti pris hostile contre cette expérience, mais un doute raisonné, qui devint agacement quand les « conquêtes » se firent en série ; dévotion inébranlable à « monsieur Degas », y compris, pour la probité, ses tenants dans le passé (l'œuvre peinte de Camille Claudel nous réfère entre autres à Clouet), sinon ses aboutissements (...) enfin une attention constante aux exemplaires de la virtuosité japonaise qui passaient par leurs mains et où ils admiraient, en l'absence fréquente de valeurs humaines intelligibles sans traduction, les miracles des mises en place ou les paradoxes des perspectives. La Mangwa de Hokousaï (cf **Cat 14**) leur fut une petite Bible d'Amiens exotique... Je vous laisse à imaginer ce que le musicien put apprendre de la sculptrice, au pied d'une cathédrale, sur les grands âges de l'opus francigenum...

G . J.-A. : N'est-ce pas « la Valse » **(Cat 4)** de Camille Claudel que j'ai vue sur la cheminée de Claude Debussy ?

R. G. : Elle ne quitta son cabinet de travail qu'avec lui. Cette langueur et cet élan confondus en un seul rythme qui ne défaille que pour s'envoler plus inépuisablement, notre laude n'en avait épuisé, quand il disparut, ni la séduction ni le réconfort. Il adorait « la Petite Châtelaine » une des plus gracieuses évocations qu'aient inspirées à un poète du marbre l'appel interrogateur d'un visage d'enfant devant l'inconnu. Il révérait, avec une nuance d'effroi, l'âpre « Clotho » **(Cat 2)** ; qui va cheminant d'un pas inéluctable et forme à elle seule tout un groupe avec l'immense toison artistiquement fouillée qui la coiffe, l'aveugle et l'enserre. Nul doute, ici, qu'il ne vous demandât, avec une autorité manquante à son interprète : « Où est-elle passée notre cheminante Clotho, que ses admirateurs virent entrer au musée du Luxembourg en 1895 par la vertu de l'offrande qu'ils lui en firent sous les auspices de Puvis de Chavannes, et qui, depuis un quart de siècle, a si étrangement disparu de la place où cette Parque devait ériger l'image d'un destin moins cruel à elle-même (Fig 21) ?

Edmond de Goncourt (1822-1896)

1894, 8 mars

« Ce soir chez les Daudet, la petite Claudel, l'élève de Rodin dans un canezou brodé de grandes fleurs japonaises avec sa tête enfantine, ses beaux yeux, ses dires originaux, son parler aux lourdeurs paysannesques. »

1894, 10 mai

« Marx me parle ce matin de la sculpteuse Claudel, de son collage un moment avec Rodin, collage pendant lequel il les a vus travailler ensemble, amoureusement, tout comme devaient travailler Prudhon et Melle Mayer. Puis un jour, pourquoi on ne le sait, elle a quelque temps échappé à cette relation puis l'a reprise, puis l'a brisée complètement. Et quand c'est arrivé, Marx voyait entrer chez lui Rodin tout bouleversé, qui lui disait en pleurant qu'il n'avait plus aucune autorité sur elle. »

Gustave Kahn (1859-1936)

1905

On connaît la manière vigoureuse de Mlle Claudel, cette verve tempérée de grâce qui caractérise son exécution ; c'est de la sculpture la plus neuve, la plus informée et la plus sincère. On la compte, d'ailleurs, parmi ceux qui apportent à chaque Salon, et surtout à chaque Salon d'automne, quelque audace heureuse. »

André Michel (1853-1925)

1903, 12 mai

« ... Entre cette *Adolescence* et *l'Âge mûr* de Mlle Claudel, il y a Baccio Bandinelli et Rodin, *la Porte de l'Enfer*, et tout ce que l'art de Rodin a exprimé de la sensibilité trépidante et inquiète de nos contemporains. *L'Âge mûr* **(Cat 7)**, c'est un petit groupe de bronze — ou plutôt c'est trois statuettes en bronze, placées à la queue leu-leu, mais reliées par une action commune. Un homme qui a passé la quarantaine suit avec tous les signes d'un sombre désespoir un fantôme décharné, une vieille femme qui l'entraîne, cependant que derrière lui, agenouillée et vainement suppliante, une femme plus jeune lui tend les bras. Il ne la voit plus, ou plutôt il détourne d'elle ses yeux voilés de larmes, et, de son bras ramené en arrière, il lui fait un geste de regrets et de définitif adieu... et il suit l'autre, comme un condamné à mort le bourreau. Ah ! comme il est dur de vieillir. Je n'ai pas l'honneur de connaître Mlle Claudel ; je crois qu'elle est, et je lui souhaite d'être, encore très jeune ; mais son *Âge mûr* ressemble à l'œuvre d'un romantique quadragénaire récalcitrant et révolté. Et, pour mieux exprimer cette révolte et ce drame, elle a fait saillir les veines, les tendons et les muscles ; elle a tantôt accusé les saillies, tantôt brusquement troué la peau de cavités profondes ; elle a modelé avec une véhémence un peu désordonnée les corps douloureux et décrépits — c'est ici de la sculpture de sentiment, à rapprocher du *Beethoven* de M. Bourdelle... »

Octave Mirbeau (1848-1917)

1895, 12 mai

« Après avoir erré à travers les salles, nous descendîmes au jardin pour fumer des cigarettes. J'amenai Kariste devant un petit groupe en plâtre Et tout de suite il poussa un cri d'admiration.

— Qu'est-ce que c'est ?

— Le Catalogue est muet et le groupe ne se

dénomme pas, répondis-je... C'est tu le vois une femme qui raconte une histoire à d'autres femmes qui l'écoutent... Cette œuvre est d'une jeune fille Melle Claudel.

Oui parbleu ! je savais bien, s'écria Kariste. Je reconnais maintenant celle qui fit la Valse, la Parque, la Tête d'Enfant, le buste de Rodin. C'est tout simplement une merveilleuse et grande artiste, et ce petit groupe là la plus grande œuvre qu'il y ait ici... Sais-tu bien que nous voilà en présence de quelque chose d'unique, une révolte de la nature : la femme de génie ?

— De génie oui, mon cher Kariste... Mais ne le dis pas si haut... Il y a des gens que cela gêne et qui ne pardonneront pas à Melle Claudel d'être qualifiée ainsi...

— Et on ne la connaît pas !... s'écriait-il... et l'Etat n'est pas à genoux devant elle pour lui demander de pareils chefs-d'œuvre !... Mais pourquoi ?...

— Oui... pourquoi ?... Est-ce qu'on sait ?... Pour ne pas déplaire aux amateurs peut-être !

— Mais c'est un devoir d'encourager une pareille artiste !... Ce serait un crime que de ne pas l'intéresser à la vie de cette femme capable à elle seule d'illustrer un musée, une place publique, n'importe quoi !...

— Sans doute !... Mais va dire cela dans les bureaux !... On t'y recevra bien !... Ah ! il y a des choses tristes et qui font pleurer. Voilà une jeune fille vraiment exceptionnelle. Il est clair qu'elle a du génie comme un homme qui en aurait beaucoup. C'est de tradition dans la famille, d'ailleurs, puisqu'elle est la sœur de cet attachant Paul Claudel en qui nous avons mis l'espoir de grandes œuvres futures... Eh bien ! Cette jeune fille a travaillé avec une ténacité, une volonté, une passion dont tu ne peux pas te faire une idée... Enfin elle est arrivée à çà ! Oui, mais il faut vivre ! Et elle ne vit pas de son art tu le penses !... Alors le découragement la prend et la terrasse. Chez ces natures ardentes dans ces âmes bouillonnantes, le désespoir a des chutes aussi profondes que l'espoir leur donne l'élan vers les hauteurs. Elle songe à quitter cet art.

— Qu'est-ce que tu dis là ?... rugit Kariste, dont le visage se bouleversa... Mais c'est impossible !

— As-tu donc du pain à lui donner...

Et Kariste frappait le sol de sa canne.

— Mais elle a du génie !

Et ce mot de génie, dans ce grand jardin où des êtres aux yeux vides passaient et repassaient sans seulement jeter un coup d'œil sur l'œuvre de Melle Claudel résonnait comme un cri de douleur.

Eugène Morand, Inspecteur des Beaux-Arts

1907, 15 octobre

« ... à la suite de deux réclamations inexactes de Melle Claudel au sujet du dépôt de deux de ses œuvres acquises par l'Etat, j'ai eu l'honneur d'écrire à cette artiste des lettres de la plus absolue correction. A ces deux lettres il m'a été répondu par des cartes postales d'une telle grossièreté et des enveloppes renfermant de telles ordures malodorantes que je désire n'avoir aucun rapport avec Melle Claudel qui a agi de même et en ce même temps à l'égard de M. Rodin. Quoique ces vilenies fussent naturellement anonymes, la similitude des écritures et la coïncidence des envois à la suite de mes lettres accusent nettement Melle Claudel contre laquelle je me réserve de porter plainte devant le Procureur de la République si le fait se reproduisait. »

Paul Morand (1888-1976)

vers 1893-1895

« J'étais tout jeune, lorsqu'un matin, Rodin s'annonça chez nous à déjeuner. "Il vient fuir jusqu'ici son adoratrice !" dit mon père. L'idée qu'un grand et gros géant, comme Rodin, pût avoir peur d'une femme m'amusa. Mon père me reprit. « Cela n'a rien de risible dit-il, c'est une histoire très triste. Cette fille est sa meilleure élève ; elle a du génie, elle est très belle et elle l'aime ; mais elle est folle. Elle s'appelle Camille Claudel. »

C'est ainsi que j'entendis ce nom pour la première fois. »

Mathias Morhardt (1862-1939)

1898, mars

« ... Mademoiselle Camille Claudel est moins, en effet, une femme qu'une artiste — une grande artiste — et son œuvre, si peu nombreux encore qu'il soit, lui confère une dignité supérieure...

... C'est peut-être le signe caractéristique de son âme, que l'indéfectible fidélité avec laquelle elle s'attache, d'abord, à affirmer son dessein d'être sculpteur, et, plus tard à tout sacrifier à ce qui en ralentirait la complète et nécessaire réalisation... La jeune artiste répand dans l'atelier de Rodin les bienfaits de son intelligence nette, de sa volonté rapide, de son souci de l'ordre, de son honnête et profonde sincérité. J'ai dit que Mademoiselle Camille Claudel était l'élève de Rodin : il serait plus conforme à la vérité de dire qu'elle devint sa collaboratrice clairvoyante et sagace. Rodin, qui a tout de suite reconnu en elle la future grande artiste, ne la considère que comme telle. Sans doute, il lui communique tout ce qu'il peut lui communiquer de sa grande expérience. Mais il la consulte elle-même sur toute chose. Sur chaque décision à prendre, il délibère avec elle, et ce n'est qu'après s'être mis d'accord qu'il se détermine définitivement.

Ajouterai-je qu'elle a toujours été regrettée dans l'atelier qu'elle a quitté plus tard et que Rodin, dont l'admiration pour la jeune artiste n'a cessé d'augmenter, ne s'est jamais consolé de son départ. Le bonheur d'être toujours compris, de voir son attente toujours dépassée a été, dit-il lui-même, une des grandes joies de sa vie artistique...

... D'ailleurs, on peut dire d'elle qu'elle est devenue célèbre sans le secours de personne, par le seul et naturel effort de son œuvre. Elle n'a profité ni des coteries, ni des enthousiasmes, si prompts, hélas ! à s'allumer sur les fausses pistes. Elle a travaillé modestement, dans le silence, presque dans l'exil, jusqu'au jour où les *Causeuses* ont fait tomber sur son nom les premiers rayonnements de la gloire.

Aujourd'hui encore elle ne se doute point de sa célébrité. Elle ne sait pas jusqu'à quel point elle a — déjà ! — le redoutable privilège des grands artistes, qui est de susciter l'envie et qui est de déchaîner la colère. Elle travaille. Indépendante du bruit qui peut se faire autour d'elle, elle ne pense qu'à la sculpture. Sa vie lui est vouée toute entière. Elle va, selon son admirable destinée, vers les fins qui lui sont promises. Elle réalise lentement et patiemment une œuvre hautaine et belle. Elle va. Sa modestie et son orgueil sont les deux compagnons fidèles qui veillent sur elle et qui la préservent de toute pensée qui serait indigne de la noblesse de son art et de son âme. Elle va ! Elle est de la race des héros ! »

Morhardt à Rodin

1914, 5 juin

« Je viens de voir M. Philippe Berthelot à qui j'ai fait part d'une manière rigoureusement confidentielle de votre désir en ce qui concerne la pauvre et admirable artiste. Il va s'enquérir très délicatement de la situation et nous irons vous voir ensemble dès que nous aurons une idée exacte des choses. Mais j'ai insisté énergiquement auprès de Philippe Berthelot pour que nous unissions nos efforts surtout — tout espoir de guérison étant chimérique — en vue de rendre un hommage convenable à cette grande mémoire. Ce que je voudrais, c'est que vous consentiez à réserver une salle à l'hôtel Biron à l'œuvre de Camille Claudel. Nous y présenterions tout ce qu'elle a laissé. Il va sans dire que pour mon compte, je donnerais volontiers ce que j'ai conservé d'elle. Je suis sûr que vos amis Fenaille, Peytel etc... en feront autant. Et ce sera un beau musée, digne de voisiner avec le vôtre. N'est-ce pas votre avis ? »

1914, 25 juin

« J'ai reçu très exactement le chèque de 500 F que vous m'avez envoyé et je me suis immédiatement préoccupé de faire parvenir cette somme à sa destination. Malheureusement ce n'est pas facile. M. Berthelot en raison de l'opposition de la famille n'a pu s'en charger. J'ai du me tourner conformément à ses conseils du côté de l'administration des Beaux-Arts laquelle a accordé un secours annuel de 500 F qu'elle ne peut payer faute de fonds...

Mais sur la question de l'œuvre laissé par la grande artiste, M. Berthelot ne désespère pas du succès. Donc attendons. »

Morhardt à Judith Cladel

1929, 7 décembre

« ... Je me rappelle avec grand plaisir nos réunions dans l'atelier de Rodin. Camille Claudel était là. Son génie farouche éclatait dans ses yeux bleu sombre. Quelle tristesse que la pauvre et belle créature ait sombré dans la folie !

Vit-elle encore ? Je l'ignore. La dernière fois que je suis intervenu en sa faveur c'est pendant la guerre, sur la demande de Rodin. Elle avait été longtemps l'enfant chérie de notre maison. L'affaire Dreyfus l'avait déterminée à nous quitter avec une amère violence. Plus tard, j'ai essayé de réconcilier Paul Claudel, du moins, avec Rodin. Rodin aurait donné avec joie à la grande artiste, une salle de son musée où nous aurions réuni tout ce que nous avons pu conserver d'elle — ce qui est si peu quant à la quantité, mais ce qui est si prodigieux quant à la qualité ! On [la famille Claudel] m'opposa une fin de non recevoir absolue.

Qu'est devenue la *Parque* qu'elle a exécutée pour le musée du Luxembourg (Fig 21) et que j'ai payée au moyen des souscriptions recueillies auprès de Rodin, de Puvis de Chavannes, d'Albert Besnard et de tant d'autres ? Le Conseil du Musée en avait naturellement refusé l'admission. Mais Leonce Benedite m'assura qu'il l'avait fait placer dans l'escalier de son cabinet et que, tôt ou tard... Vous l'y retrouverez peut-être, chère Mademoiselle, puisque vous voulez bien faire revivre cette noble et grande mémoire.

Il va de soi que si on réalisait quelque chose en l'honneur de Camille Claudel je me déferais de ce que je possède d'elle et notamment des deux portraits à l'huile qu'elle a peints vers sa 18e année.

J'ai quitté Paris. Je réside aujourd'hui dans la

forêt landaise. Je serai très heureux de vous y voir un jour... »

1934, 18 août

« ... Paul Claudel est un nigaud. Quand on a une sœur de génie, on ne l'abandonne pas. Mais il a toujours cru que le génie, c'est lui qui l'avait. L'histoire des relations de Rodin avec Camille Claudel ne me semble pas devoir vous arrêter longtemps. D'ailleurs Camille Claudel est venue déjeuner avec Rodin, bien longtemps après qu'elle eût quitté l'atelier. Elle voulait que Rodin répudiât sa pauvre vieille Rose, qui avait été la compagne des mauvais jours, et qui avait partagé sa longue misère **(Cat 12)**. Il ne pouvait pas s'y résoudre quoiqu'il aimât Camille Claudel avec passion, à la fois comme artiste et comme homme. « Elle est injuste, me dit-il un jour, (et pardonnez-moi d'ajouter) comme toutes les femmes. » Après ce déjeuner (avenue Rapp 92) Camille Claudel me demanda de ne plus la faire rencontrer avec Rodin...

Ce que vous me dites de la « Klotho » est profondément désolant. Léon Deshairs, qui est également ici, et qui est membre de la Commission des Musées, me promet, dès son retour à Paris, de faire faire de pressantes recherches... »

1903, 19 août

« Chère Mademoiselle

Voici encore un souvenir qui me revient : Camille Claudel avait vendu « La Vague » (Fig 22) — que je tiens pour son chef-d'œuvre — à l'industriel Henri Fontaine. Elle l'avait vendu en plâtre, *y compris le droit de reproduction* : 171 fs. Je ne disposais pas, alors, de cette très petite somme. Rodin me la remit et je retirai le plâtre des mains d'Henri Fontaine, avec qui j'étais lié d'ailleurs, par l'affaire Dreyfus. La chose devait donc se passer vers 1898. Camille Claudel a exécuté plusieurs « Vague » dont une, je crois, pour Mme Ménard-Dorian — elle était liée avec Georges Hugo dont elle a fait une spirituelle statuette — en pierre tendre couleur vert-jade... »

Cat 12

Cat 12
Camille CLAUDEL
Le Collage.
Plume et encre, vers 1894.

Charles Morice (1860-1919)

1905, 15 décembre

« Camille Claudel est une grande artiste. Nous sommes quelques uns à le proclamer depuis longtemps et nous croirions volontiers que personne ne l'ignore ; nous nous tromperions ; nous restons quelques uns. Rien de plus lamentablement injuste que la destinée de cette femme vraiment héroïque. Elle n'a jamais cessé de travailler et son labeur obstiné attesté par des œuvres dont quelques unes sont parmi les plus belles que puisse citer les statuaires contemporains ; elle reste pauvre et sa production est compromise par les conditions précaires de sa vie. Il faut pourtant qu'on le sache et je voudrais le crier dans l'espérance que cette iniquité cesse enfin. Comment les amateurs s'il en est, comme on m'assure d'éclairés, ne se hâtent-ils pas d'enrichir leurs collections de ces deux pièces aujourd'hui facilement accessibles et qui plus tard dans ce douloureux plus tard de la gloire et du lendemain atteindront certainement à des prix — stérilement vengeurs, hélas !... »

Jules Renard (1864-1910)

1893, 25 janvier

« Claudel, l'antifigariste génial.
Il avait une sœur insupportable, qui lui écrivait sans cesse :
— Je suis fière de toi. On dit que je te ressemble. »

1895, 19 mars

« Chez Claudel, dîner et soirée fantomatiques. Sa sœur me dit :
— Vous me faites peur, monsieur Renard. Vous me ridiculiserez dans un de vos livres.
Son visage poudré ne s'anime que par les yeux et la bouche. Quelquefois, il semble mort. Elle hait la musique, le dit tout haut comme elle le pense, et son frère rage, le nez dans son assiette, et on sent ses mains se contracter de colère et ses jambes trembler sous la table.
Atelier traversé de poutres, avec des lanternes suspendues par des ficelles. Nous les allumons. Des portes d'armoires que Mlle Claudel a plaquées contre le mur. Des chandeliers où la bougie se plante sur une pointe de fer et qui peuvent servir de poignards, et des ébauches qui dorment sous leur linge. Et ce groupe de la valse où le couple semble vouloir se coucher et finir la danse par l'amour.
Je n'ai pas entendu un mot de ce que disait la mère (**Cat 30 B**). Et, pourtant, à chacune de nos paroles elle répondait, faisant sa petite réflexion pour elle seule, ou poussait un soupir...
— Est-ce vrai, mademoiselle, qu'à Guernesey les rochers où s'est assis Victor Hugo sont marqués d'une croix verte ?...
Et, à Mlle Claudel qui avait collectionné quelques japonaiseries qu'elle admire de tout son cœur, [un japonais à la peau sans pli] apprend qu'elle n'a là que de mauvaises copies de mauvaises choses de la décadence... »

1900, 13 février

« Claudel déjeune. Il parle du mal que l'affaire Dreyfus nous a fait à l'étranger. Cet homme intelligent, ce poète, sent le prêtre rageur et de sang âcre.
— Mais la tolérance ? lui dis-je.
— Il y a des maisons pour ça, répond-il.
Sa sœur a dans sa chambre un portrait de Rochefort et, sur sa table, *La Libre Parole*. Elle a envie de le suivre dans ses consulats... »

Gabrielle Reval

« impression bizarre : une personnalité attirante par son charme et repoussante par sa sauvagerie. »

VI

Portrait graphologique

Ce que l'on peut constater dans l'écriture (**Cat 15 à 17**) :

— Un idéal élevé, plus ou moins utopiste, contrastant avec une zone instinctive-inconsciente très développée.

— Une spontanéité du geste, mais, aussi, une sorte de stéréotypie uniforme du rythme.

— Un besoin de liberté vis-à-vis de l'espace qui lui est dévolu. Et un manque de liberté qui donne au graphisme une impression de « bloc », d'incapacité de « respirer » à l'aise. On ne peut pas pénétrer dans ce bloc.

— Un sens de la justice très développé et une sorte de révolte contre tout ce qui peut s'opposer à « sa » liberté.

— Une énergie farouche, impitoyable, guidée, à la fois, par son imagination et par des lois de morale individuelle.

— Enfin : des signes très nets de créativité, particulièrement développés dans une zone instinctive et de l'inconscient et que vient freiner sa morale individuelle qui lui dicte des interdits, contre lesquels elle lutte courageusement, pas toujours victorieusement.

De là :

Une personnalité riche, mais ambivalente ; loyale et pleine d'énergie, d'idées romanesques et d'activité intègre, mais freinée, entravée par ses problèmes.

Des observations graphologiques, on peut tirer les conclusions suivantes :

Alors qu'elle respecte, dans son graphisme, les formes essentielles de la calligraphie de l'époque, Camille échappe — ou veut échapper — totalement à toute loi conventionnelle. Elle n'a pas le respect de la hiérarchie, des institutions. Avant tout, elle veut être libre. Libre de s'exprimer et d'agir comme elle l'entend, avec une énergie incorruptible.

Et pourtant :

On sent une profonde tristesse, une tendance pessimiste.

Elle prend difficilement des décisions, comme elle prend difficilement son envol. Un peu comme si elle avait les pieds cloués au sol, englués dans la terre, dans tout ce qui est matériel et l'empêche d'atteindre un idéal trop « élevé », presque inaccessible. Il y a comme une sorte de supplication pour sortir de sa prison intérieure, s'exprimer comme elle le voudrait et comme son talent le lui permettrait.

De même, elle voudrait aller vers les autres ; le besoin de fusion, de participation est, pour elle, quelque chose d'essentiel pour se libérer d'elle-même. Là, encore, elle est trop enfermée en elle-même pour que cette participation puisse être réalisée totalement.

L'imagination, ardente, souvent en dehors des choses terrestres, alimentée par des symboles, en rapport à la fois avec ses illusions et ses principes moraux, lui joue des tours. Elle lui permet de créer, d'exprimer ses idéaux, ses sentiments, peut-être, aussi, ses illusions. Elle est, aussi, un peu freinée par ses principes qui en limitent la portée et l'ampleur. C'est, dans l'action, une femme combative, têtue, courageuse, mais, comme toutes les affectives, elle sombre dans le découragement et l'indignation devant l'injustice.

C'est une femme qui ne sait absolument pas s'organiser et prévoir, qui est incapable de se « gérer » elle-même.

C'est aussi une femme attachante par la multiplicité de ses émotions, la sincérité de ses élans, la recherche de plénitude et à laquelle, pour cette raison, la vie n'était certainement pas facile à vivre.

Sélective et pathétique, elle a besoin d'Absolu.

Sa créativité, elle la puise dans ses instincts, son inconscient. Lorsque sa vie instinctivo-affective est épanouie, sa richesse intérieure lui permet de s'exprimer en liberté (liberté toujours relative).

Cat 15
Lettre de Camille Claudel à son frère Paul, vers 1893. Premier croquis de l'*Age mûr.*

Elle peut même, à ce moment-là, avec son besoin de fusion, inspirer l'entourage et donner aux autres un essor à des possibilités créatrices.

Il est à craindre qu'à partir du moment où elle se sent frustrée, injustement traitée, elle se replie sur elle-même, projetant sur les autres ses ressentiments ; on ne peut créer, enfanter que dans la joie et la douleur ; l'enthousiasme de la création permet, à ce moment-là, de dominer l'une et de réaliser l'autre en se donnant totalement à son œuvre.

Il n'est que de regarder ses admirables créations que sont l'Implorante et l'Âge mûr pour s'apercevoir que la demande est nettement plus intense que la libération. Il n'est que de se sentir pris dans ce mouvement tourbillonant de la Valse, pour penser que le besoin de fusion l'emporte sur l'envol et le détachement ; pour se rendre compte de la souffrance de cette femme ardente et fougueuse de ne pouvoir réaliser toute la richesse qu'elle avait en elle et qui l'étouffait.

Germaine Trippier

Cat 15

VII

Deux autoportraits précédant l'âge mûr

Clotho, 1893.
(Cat 1 et 2, Fig 21)

Le motif des Trois Parques de la mythologie grecque et romaine s'apparente au motif allégorique des trois Ages de la vie : dans l'un comme dans l'autre, c'est l'image du caractère fugitif de l'existence que recherche l'artiste. Dans sa sculpture Camille Claudel aborde les deux sujets. Elle choisit de montrer *Clotho* comme la Parque de la naissance mais sans l'attribut traditionnel, la quenouille, signe distinctif qui permettrait son identification. Par sa chevelure abondante, ce nu féminin peut cependant être considéré comme une quenouille vivante. Dans ce sens, le personnage devient son propre attribut. D'autre part Camille Claudel modifie la représentation traditionnelle des Parques et des Ages de la vie en intégrant les trois personnages en une seule figure. La chevelure abondante, symbole de fécondité, associée au corps d'une vieille

Cat 1
Camille CLAUDEL
Torse de Clotho. Plâtre, 1893.

Cat 2
Camille CLAUDEL
Clotho. Plâtre, 1893.

Cat 2

femme, incarne tout à la fois la jeunesse, la maturité, la vieillesse et la mort. Se libérant de l'utilisation illustrative d'allégories qui s'étaient au XIXᵉ siècle largement vidées de leur contenu, Camille Claudel restitue à la figure mythologique toute sa signification originelle par sa réflexion sur sa propre situation.

L'ambivalence du titre — Clotho signifie en grec « araignée » et « fileuse » — évoque le processus d'élaboration d'une œuvre, les arts textiles passant pour être à l'origine de toutes les pratiques artistiques humaines. D'autre part, l'idée que l'on élabore une œuvre à partir de ses propres ressources — Clotho comme araignée — est mise en évidence dans la sculpture : c'est avec sa propre chevelure que la Parque file le fil de la vie.

On peut comprendre *Clotho* comme une divinité du destin liée au sort de Camille Claudel elle-même, alors engagée dans une nouvelle phase de l'évolution de son art. Dans cette sculpture, elle commence à s'affranchir de l'influence de son maître Rodin : la parenté thématique et stylistique avec ses œuvres est une référence directe à leur collaboration, mais Camille Claudel trouve dans *Clotho* des solutions originales.

La chevelure abondante de la Parque — qui appelle une mise en forme, une élaboration — peut être considérée comme un symbole de riches potentialités artistiques. Mais, dominée, enchevêtrée dans sa propre chevelure, la Parque privée de sa quenouille, semble impuissante face à cette masse considérable. Cette contradiction entre puissance et impuissance, abondance et écrasement, création autonome et réification, qu'exprime *Clotho*, met en forme deux aspects de l'expérience de Camille Claudel : d'une part, elle joue le rôle de la muse inspiratrice au service de Rodin, d'autre part, elle est à elle-même une production artistique autonome. Contrairement à Rodin, Camille Claudel ne parvient pas à s'approprier la figure de la muse comme une image positive, elle ne peut l'utiliser pour exprimer l'inspiration de son art. Elle transforme donc la muse de l'autre

(Rodin) en Parque afin de souligner son indépendance et son autonomie d'artiste.

Réunissant dans *Clotho* le pôle actif et le pôle passif de la créativité artistique, elle les présente comme une unité riche en tensions et en contradictions. Elle donne à *Clotho* comme fileuse deux significations simultanées : d'une part, le travail artistique subalterne au service de la création, d'autre part, le travail de la fileuse comme symbole de l'origine de tous les arts.

Renate Flagmeier
Traduction David Guillet

Le Dieu envolé, 1894
(Cat 5 et fig 39**)**

Œuvre capitale, confondue jusqu'ici à tort avec *l'Implorante*, elle est révélée pour la première fois au public à l'issue d'une trouvaille récente. Elle précède le drame de la rupture qu'incar-

Cat 5

Cat 5
Camille CLAUDEL
Dieu envolé. Plâtre, 1894.

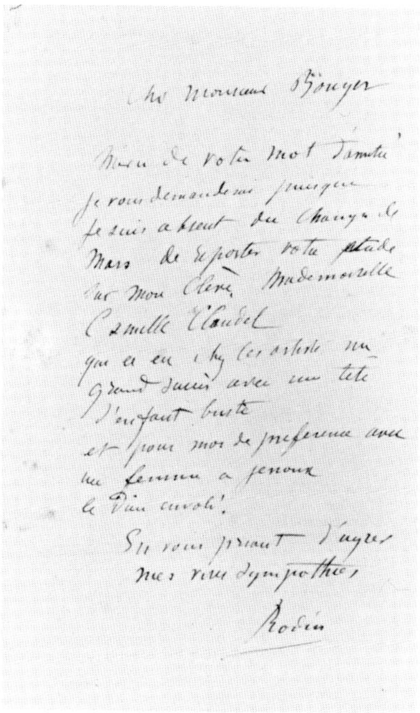
Mon cher Monsieur Bouyer

Merci de votre mot d'amitié
je vous demanderai puisque
je suis absent du Champ de
Mars de reporter votre étude
sur mon élève Mademoiselle
Camille Claudel
qui a eu chez les artistes un
grand succès avec une tête
d'enfant buste
et pour moi de préférence avec
une femme à genoux
le Dieu envolé !

En vous priant d'agréer
mes vives sympathies,

Rodin

Fig 39

nera *l'Age mûr*. La jeune femme agenouillée se tient droite, non dans le geste de la supplication, mais dans la souffrance étonnée d'une disparition et d'un espoir trahi. La douleur s'exprime encore comme un gémissement égaré, et non sous cette rage féroce et vengeresse qu'elle portera bientôt à l'homme du reniement, comme si le coup venait des dieux, et non d'une main humaine. Au-dessus d'un ventre de jeune mère, se retrousse comme une tunique offerte, l'accablante chevelure torsadée en multiples serpents, qui emprisonnent la tête : on retrouve là la quenouille vivante de la *Clotho*, et plus tard le thème de *la Gorgone*. Jamais Camille n'a cependant associé ailleurs la beauté de la jeunesse à cette capture du cerveau par les liens d'une chevelure de naufrage. Métamorphose de vieille fileuse des ans en *La Jeune Parque*, une grande phase de la dramaturgie de Camille est ici mise à nu.

Reine-Marie Paris

VIII

Portrait funéraire : l'âge mûr

Paul Claudel écrivit tant de pages sur l'art et le talent de sa sœur qu'il généra une ligne interprétative de *L'Age mûr* axée sur les « âges de la vie » et fondée sur la biographie de Camille Claudel ; après lui Mary Léopold-Lacour intitula un article (non publié) *Le Chemin de la Vie ou Un génie en danger*[79] ; puis les rétrospectives de 1951 et 1984 appuyèrent encore sur cet aspect anecdotique et biographique :

« (...) le mouvement est donné par les vêtements, par le sol même par une sorte de directrice fatale qui impose leur place aux acteurs, par l'obligation partout de l'oblique génératrice, qui, arrachant l'homme aux mains de la jeunesse, l'entraîne vers son destin, collé au maigre ventre de la vieillesse ricanante et lubrique (...) »[80]

En 1951, Paul Claudel poursuit :

« (...) ici c'est l'homme d'une fourche écrasante, maintenu, chevauché, entraîné la tête basse vers son destin. (...)

Et la femme cependant, la jeune fille plutôt, (...) cette jeune fille à genoux, (...) cette jeune fille nue, c'est ma sœur. Ma sœur Camille. Implorante, humiliée (...). »[81]

Nous ne reviendrons pas ici sur la liaison tragique de Camille Claudel et Auguste Rodin, liaison autant sentimentale qu'artistique. Si *L'Age mûr* émerveille et émeut des sensibilités fort diverses culturellement et ignorantes des anecdotes de la vie de Camille Claudel c'est que sa technique est parfaite mais aussi qu'il donne à voir quelque chose d'universel. Nous oserons avancer l'hypothèse que cette œuvre peut être interprétée comme une œuvre funéraire et religieuse, qu'elle en possède les caractéristiques thématiques et formelles et qu'elle s'inscrit dans la continuité de notre histoire de l'art funéraire et dans la généalogie des thèmes. Il faudrait, pour étayer notre thèse, de longs développements historiques et théoriques. Ici n'en est peut-être pas le lieu et nous nous contenterons d'évoquer quelques lignes directrices de notre interprétation.

L'Age mûr, monument funéraire

Pour Paul Claudel, la sculpture moderne est « proscrite de la place publique et du plein air » et Camille Claudel est « le premier ouvrier de (la) sculpture intérieure »[82]. Cependant le XIXe a vu fleurir les commandes d'Etat et les souscriptions pour des œuvres politiques et religieuses reconnues par « le grand public ».

Un monument draine vers lui les spectateurs, il est lieu de mémoire et de mise en scène. L'Age mûr répond à cette définition. Il se contemple, il est mise en forme de l'arrachement de Camille Claudel à Auguste Rodin, il est autoportrait de l'artiste dont il nous laisse ainsi le souvenir. L'œuvre ne se borne pas au seul but esthétique, elle a force d'évocation. Bien qu'issue d'une inspiration personnelle et d'une passion dévastatrice, elle n'est pas vérité singulière mais universelle.

La seconde moitié du XIXe siècle voit se développer en plein air, un art funéraire réservé, aux siècles précédents, à l'intérieur des lieux de culte. De véritables statues, figures allégoriques ou portraits des défunts, marquent le lieu de la sépulture, assurent le souvenir du disparu et parfois même donnent au spectateur la possibilité de s'identifier à celui-ci[83].

Ainsi peut-on lire le groupe de Camille Claudel de la façon suivante. Le défunt c'est Rodin entraîné par la Mort (la figure de vieille femme

est à rapprocher, par exemple, de « La Patrie » du *Départ des volontaires* de Rude, du *Génie de la guerre* de Rodin ou de « La Mort » sur le *Tombeau du Maréchal de Saxe* par Pigalle (Fig 40)). Perdu pour l'Amour, il l'est aussi pour l'Art. Désespérée, la figure de jeune femme — autoportrait de Camille mais aussi allégorie de l'Inspiration — le laisse à son destin. Cette « Implorante » est voisine des figures de *Douleur* présentes dans les compositions allégoriques qui se multiplient sur les tombeaux des grands cimetières parisiens à la fin du XIXe siècle.

L'Age mûr est aussi porteur du souvenir de Camille Claudel donc lieu de mémoire comme tout monument funéraire. Il y a là une ambiguïté car cette œuvre suggère à la fois la disparition de son auteur et celle de Rodin. On peut y voir une possibilité que l'artiste se serait donnée de réunir les amants dans un commun ensevelissement symbolique.

L'Implorante est aussi à rapprocher des orants qui depuis le Moyen Age ont souvent figuré sur les tombeaux, soit le défunt lui-même, soit un proche, veillant et priant. Et parmi les contemporains de Camille Claudel

Fig 39
Lettre de Rodin à Raymond Bouyer (non localisée), reproduite par Descharnes et Chabrun, 1967, p. 126.

Fig 40
Jean-Baptiste PIGALLE
Tombeau du maréchal de Saxe
Marbre et bronze, 1753-1777
Strasbourg, temple Saint-Thomas.

Fig 40

Fig 41

Fig 42

quelques rapprochements avec « La Foi » du *Tombeau du Général Lamoricière* par Paul Dubois (Fig 41) ou avec *l'Imploration* d'Alix Marquet[84] (Fig 42) parleront d'eux-mêmes en faveur de notre interprétation.

L'Homme entraîné par la Mort et la Femme éplorée qui reste sur le seuil de l'au-delà, voilà des représentations souvent vues dans nos cimetières et nos églises. *L'Âge mûr* est, certes,

la figuration d'un épisode tragique de la vie de Camille Claudel, mais aussi la mise en scène d'une réflexion sur la rupture la plus définitive qui soit.

L'émotion intense ressentie devant ce groupe n'est pas qu'esthétique. Il y a une étrangeté fascinante à contempler un monument funéraire hors des lieux qui lui sont traditionnellement destinés.

Anne Rivière

IX

Réception d'un portrait
1984-1988

Je me souviens d'une question que nous nous sommes posée avec Anne Rivière, dans la grande salle d'exposition du musée Rodin, un matin de février 1984. Le rassemblement que nous avions sous les yeux, l'œuvre de Camille Claudel, justifiait-il notre enthousiasme et notre travail de plusieurs années ? Le public n'avait pas encore eu accès à l'exposition. Le lendemain, cette redécouverte de l'œuvre de Camille Claudel devenait un événement mondain et, quelques jours plus tard, provoquait un engouement populaire sans équivalent.

En 1982, travaillant à l'inventaire du fonds de

sculpture moderne du Musée de Poitiers[85], j'avais été vivement frappé par la qualité des trois bronzes de Camille Claudel provenant de la collection Brisson. Rapidement s'était imposée la nécessité de consacrer une véritable

Fig 41
Paul DUBOIS
La Foi. Tombeau du général Lamoricière
Modèle plâtre, pour le bronze, 1878
Nantes, cathédrale.

Fig 42
Alix MARQUET
Imploration. Plâtre, 1901
Nevers, musée.

rétrospective à une artiste attachante tout autant que talentueuse et qui, depuis une présentation suscitée par Paul Claudel, au musée Rodin, en 1951[86], paraissait être totalement ignorée. En fait, plusieurs personnes, chacune de leur côté, travaillaient parallèlement à sa réévaluation[87]. Cette conjoncture devait évidemment aider au succès d'une exposition dont la fréquentation, tant à Poitiers qu'à Paris, dépassa rapidement les prévisions les plus optimistes. Les manifestations consacrées à la sculpture sont moins commentées, moins diffusées et moins visitées que les accrochages de peinture. Au musée Rodin, Camille Claudel provoqua un engouement qu'attisait une impressionnante campagne de presse et qu'entretenait un goût du scandale et de la commisération. Aucune revue, semble-t-il, n'échappa à cette passion subite que freinaient difficilement quelques articles plus scientifiques qui, souvent avec maladresse, sinon malhonnêteté, accusaient Camille Claudel de n'avoir pas ramené au jour, dans son sillage, les autres sculpteurs du XIXe siècle qu'avait abandonnés la gloire. Bien davantage qu'un événement culturel, l'exposition devint rapidement un fait de société, un manifeste. Il est vrai que les intentions autobiographiques presque systématiques de Camille Claudel dans son travail aidaient à une lecture globale qui fut l'expression d'un investissement passionnel du public, plus fasciné par la personnalité de l'artiste que par le langage plastique qui lui était proposé. Ce climat, largement entretenu par la presse connut certes ses détracteurs, tel Serge Fauchereau, qui regrettait que l'on glisse aussi facilement « de la sculpture au roman-photo », mais il n'est que de feuilleter aujourd'hui l'impressionnant dossier de presse de l'exposition pour constater que le sensationnel dirigeait l'essentiel des comptes rendus. Michel Cournot, dans *Le Monde*, évoquait « l'élimination d'une femme » et Franck Maubert, dans *L'Express*, « Camille Claudel, l'humiliée ».

Davantage que la personnalité de l'artiste, l'intervention de son frère et de Rodin dans une biographie pathétique, suscitaient les questions de journalistes, ainsi Pierrette Rosset qui, dans *Elle*, étudiait le « mystère Camille Claudel » : « Sculpteur de génie, elle fut la maîtresse de Rodin qui l'abandonna. Son frère, Paul Claudel, la fit interner. Elle mourut seule, peut-être folle et certainement désespérée. » Voici donc posées les interrogations qui ne manquèrent pas d'être débattues sur ses relations avec Rodin « qu'elle surpassa vite » lit-on même dans *Elle*, le 27 février 1984, avec Paul Claudel, bien entendu, avec son époque enfin, mais dans une bien moindre mesure — ce qu'est venu compenser l'article de Marie-Victoire Nantet.

Aussi l'attitude des marchands et des commissaires-priseurs varia ostensiblement. Même si les renseignements biographiques qu'on y trouve gardent la même imprécision que les dictionnaires d'artistes, les catalogues de vente firent rapidement un meilleur sort aux œuvres de Camille Claudel, les reproduisant même, dans la plupart des cas. Une lumière que certains purent trouver un peu vive, ne quittait plus Camille Claudel. Une biographie était annoncée au cinéma à grands renforts de publicité. Les premières planches d'une bande dessinée paraissaient[88]. Des éditeurs cherchaient les auteurs d'un ouvrage sur l'artiste, des musées tentaient de reprendre l'exposition montée à Poitiers et à Paris. En 1985, Sandor Kuthy réalisait la belle exposition de Berne, en 1987, Reine Marie Paris organisait l'exposition itinérante du Japon qui s'est achevée cette année même, au nouveau Musée des femmes de Washington. Camille Claudel recevait sa part dans les ouvrages toujours plus nombreux consacrés à Rodin, parmi lesquels il convient de citer l'exposition de Catherine Lampert, à Londres, en 1986 ou la biographie de Frederik V. Grunfeld de 1987, dont le chapitre IX, « Rodin in love », remet en place, nous semble-t-il, les délires antérieurs.

Bruno Gaudichon

Notes

1. Baudelaire [1976], p. 456 (voir les références complètes dans la *Bibliographie*, p. 81).

2. Elle ne reçut ce titre que plus tard. Sur le livret du Salon S.N.B.A. de 1890 ne figurent que ces mots sous le n° 1296 : « vieille femme. bronze ». Gustave Geffroy la décrit, sans référence à F. Villon : « Une vieille femme qui est la statue même des décadences et des regrets de la vieillesse. On songe en la regardant, aux vers de Ronsard, aux vers de Baudelaire. La vie vécue apparaît, avec ses espoirs anéantis et sa décrépitude irrémédiable », Salon de 1890 *(La Vie artistique*, 1892, t I, 1re série, p. 226). Jules Renard note le 8 mars 1891, lors de sa première visite à l'atelier de Rodin : « Une vieille femme en bronze, qui est une chose horriblement belle, avec ses seins plats, son ventre crevassé et sa tête belle encore » *(Journal* [1965], p. 84). Elle reste tout aussi anonyme et admirée pour W.G.C. Byvanck, *Un Hollandais à Paris en 1891* (p. 11) : « Rodin poursuit le poème de la beauté féminine jusqu'à la limite extrême. Je ne connais rien de plus saisissant dans son œuvre que le bronze d'une vieille femme, qui regarde d'un œil sec sa nudité décharnée et flétrie. Ah ! pour de l'expression, en voilà ; mais la beauté de la forme n'y est pas oubliée ; elle ressort de la puissance de la charpente, qui se dessine fortement sous la chair desséchée, de l'orgueil du crâne chauve et de la ligne du nez, que la fatalité n'a pu défigurer. L'artiste a bien le droit de dire une fois sa pensée tout entière. »

3. Gsell, 1922, p. 385. Il enjoliva, encore, avec le temps : « Desbois venait de modeler dans l'argile, pour son propre compte, la statue de *La Misère* qui est maintenant l'orgueil du Musée de Nancy. Il appelle Rodin pour le lui faire voir. Rodin regarde cela un long moment et dit :
— C'est très beau ! très beau !
Un moment après, il demande à Desbois :
— Donne-moi le nom et l'adresse de ton modèle.
Desbois les lui écrit sur un morceau de papier.
Celle qui avait posé pour *La Misère* était une véritable Parque édentée qui s'appelait Caïra, presque le mot de Kère, qui, en grec, désigne les sœurs filandières. Elle appartenait à une tribu italienne dont tous les membres étaient modèles de père en fils et de mère en fille.
Rodin court à l'adresse indiquée. Il emmène sur-le-champ la vieille Caïra à son atelier et, sans désemparer, il commence à pétrir un chef-d'œuvre immortel : *La Vieille Heaulmière*, en reprenant presque l'attitude trouvée par Desbois, mais en donnant un sens nouveau à ce fantôme féminin.
De la figure dédiée par Desbois à la compassion, Rodin avait fait une hautaine et brutale leçon philosophique où il affirmait l'antagonisme de la chair qui se corrompt et de l'âme aux aspirations illuminées. » *Comoedia*, 4 octobre 1935.
M. Alain Pasquier, conservateur en chef des Antiquités gréco-romaines du Louvre a bien voulu nous préciser que les Keres « ces Walkyries du champ de bataille » comme les nomme Pierre Grimal, avaient été confondues, parfois, avec les Parques, les Moires.

4. Wiesinger, 1987, pp. 323-324.

5. Tancock, 1976, pp. 141-147.
Autres datations proposées :
Grappe, 1944 : avant 1885 ;
Elsen, 1963 et 1981 : 1885 ;
Caso/Sanders, 1977 : 1880 ;
Butler, 1980 : mid. 1880s ;
Janson, 1984 : 1880-1883 ;
Voir aussi A. Tissier, p. 35.

6. Marx, 1907, pp. 11 et 28.
Gustave Coquiot rapporte dans son livre sur *Renoir*, l'admiration de Rodin pour Desbois en ces termes : « Il eût fallu placer Desbois, ce délicat sculpteur de la grâce, à la tête de cette vilaine chose-là (la Manufacture de Sèvres) mais connaissez-vous un seul ministre capable de cet effort ? » (p. 38). Signalé par Mme T. Preaud.

7. Marx, 1907, p. 43.

8. Résumé de la lettre de T. Preaud du 25 mai 1988 : *Paiements reçus par Rodin*, pour « travaux extraordinaires » :
1888, oct. : Un vase Saïgon Ière en porcelaine nouvelle décoré en gravure de deux séries de figures, 600 F.
(Registre Va'80 8 184.)
1889, nov. : Un vase Saïgon B, sujets de figures en gravure P(âte) N(ouvelle), 1 100 F Deux vases Saïgon Ière grandeur unis motifs de figures en gravure P(âte) N(ouvelle), 900/1 800 F.
(Registre Vj'94 f 248.)
1891, 27 mai : Conférence administrative. A.T. Gobert, directeur des Travaux d'art rappelle « qu'il y a dans son atelier cinq vases de M. Rodin dont deux, décor de pâte-sur-pâte et trois en gravure, prêts à passer au four ». (Les vases de 1888-89 n'auraient donc pas été cuits comme ils auraient dû l'être. Mais pourquoi y en a-t-il cinq et non quatre ?)
1892, oct. : Le mouleur-réparateur Alfred Garnessin père est payé pour faire les moules et épreuves des vases Saïgon de M. Rodin.
(Registre Va'84 f 123.)
1892, 28 déc. : Conférence administrative. L'administrateur demande que la mise en état des vases de M. Rodin soit achevée promptement en vue de l'exposition de Chicago.
(Registre Va'85 f 105.)
1893 : Nombreux paiements effectués à de nombreux ouvriers travaillant sur les vases Saïgon de Rodin... mais aucune pièce de ce type n'est envoyée à Chicago.
1897, sept.-oct. : *Premières entrées au magasin de vente* : après un oubli (?) de cinq ans. Un vase Saïgon B orné fond bleuté, figure pâte en gravure. La peinture des figures de Rodin est comptée pour 2 000 F et le prix de vente de l'objet fixé au même prix (inhabituel de ne pas tenir compte du prix de revient de la pièce en blanc).
1897, nov. : Un vase Saïgon Ière grandeur orné fond bleuté, figures en gravure. Peinture des figures Rodin 600 F. Prix de vente 1000 F.
1898, fév. : Un vase Saïgon Ière grandeur orné fond bleuté, figures en gravure. Peinture des figures Rodin 600 F. Prix de vente 1 000 F.
1903, mai : Un vase Saïgon Ière grandeur orné fonds jaune, figures en gravure sur pâte. Sans prix de revient ou de vente. Ce serait le quatrième et dernier des quatre vases payés en 1888/89, jugé trop ancien pour être comptabilisé.
(Les vases moulés en 1892-93 semblent être restés à l'abandon. Ils auraient été réparés en 1899 pour une édition dont le prix de revient fut établi le 20 décembre 1899. Sont-ils entrés au magasin de vente ?)
1899, déc. : Trois vases Saïgon B fond celadon, figures en relief attribuées à Rodin (corrigé Desbois), entrant sans prix (ce qui correspondrait bien à ces « pauvres survivants ») ont été édités postérieurement.
Les réflexions, entre parenthèses, sont de Mme T. Preaud.

9. Guillot, 1988, pp. 3, 69, 76, 176, 177.

10. *La Plume*, 1900, p. 67.

11. Voir les réponses de Rodin à Mauclair du 2 janvier et 19 mars 1901 dans *Correspondance de Rodin* II, 1986, pp. 40 et 44.

12. Grunfeld, 1987, p. 235 : « Camille lived for twenty years without Rodin. »

13. *Cahiers Paul Claudel*, I, p. 116-7).

14. Pozzi, 1987, pp. 252, 253, 256, 287, 288, 357, 360.

15. On pourrait négliger un exemple imaginaire mais il donne une idée d'un « pillage obsessionnel » ne reposant — lui — sur aucune réalité : Louise Clement-Carpeaux, fille et historio-

graphe du sculpteur, écrivait, après 1917 : « La campagne si active menée pour le retrait du groupe de la Danse de la façade de l'Opéra, et périodiquement reprise dans la presse parisienne (en 1904), était, de fait, suscitée par Rodin, qui eut voulu anéantir toute l'œuvre de Carpeaux pour y substituer la sienne. Depuis sa mort, le silence complet s'est fait. »Ces hargnes nous rappellent — par contraste — l'une des dernières lettres de Carpeaux, à Bruno Cherier son ami, en avril 1875 : « Rodin est-il toujours aussi amical, et sa femme aussi avenante par ses bons procédés, son savoir-vivre qui la distingue de beaucoup de femmes ? Dis lui bien des compliments de ma part. »

Bibliothèque nationale
Cabinet des Manuscrits
N.A.F. 24921, 8 141.

16. Rodin, de son côté n'avait-il pas le devoir d'égoïsme de l'artiste ? Une lettre de R.M. Rilke à Lou Andreas-Salomé donne cette analyse en 1905, décrivant Rodin à Meudon : « Sa vie quotidienne et les êtres qui en font partie semblent le lit vide où il a cessé de couler ; mais cela n'a rien de triste ; tout à côté on entend le grondement, le pas puissant du fleuve qui n'a pas voulu se partager en deux bras. » [1979, pp. 87-88].

17. Paris, 1984, p. 35.

18. Rivière, 1983, p. 14.

19. Villon [1926], pp. 72-73.

20. Cité par Grappe, 1944, p. 60.

21. Morhardt, 1898, p. 721.

22. Bauer, 1967, p. 120.

23. Verstraëte, 1980.

24. Lesure, 1980, p. 125. *Les Trois ballades à F. Villon* de Debussy datent de 1910.

25. Gaudichon, 1984, p. 47.

26. Vincent d'Indy cité par Oulmont, 1935, p. 11.

27. Gaudichon, 1984, p. 65.

28. Grunfeld, 1986, p. 218.

29. Communication orale de R.M. Paris, 1988. Dans le *Dossier*, [1987], p. 103, note 6, Cassar reproduit un fragment de lettre qu'il a adressé Mme Romain Rolland, le 28 décembre 1976 : « Ne vous suffirait-il pas de savoir (puisque je puis vous le confirmer) qu'il est exact que Paul Claudel m'a parlé de sa sœur au sujet de sa rupture avec Rodin et de ce qui s'ensuivit ; bien entendu, il m'en a parlé du point de vue « chrétien », avec à la fois horreur devant ce "crime" et pitié pour sa sœur. Donc si vous doutiez de l'"authenticité" des "bruits" au sujet de ce drame, vous pouvez affirmer qu'ils ne sont pas faux, que Claudel lui-même en parle parfois dans des lettres... »

30. Grappe, 1944, nº 125.
Barbier, 1987, nº 34.

31. Debussy [1942], pp. 40, 45, 94 (lettre 10).

32. Idem, pp. 39, 40.

33. Carré, 1926, p. 225.

34. Alain-Fournier à Jacques Rivière [1948], p. 66 : 3 avril 1907, « Le plus grand éloge que je puisse faire de *La Danse*, c'est dire que certainement Claudel s'en est inspiré pour le vers de la fin de *Partage de midi*.» (C. Chapitre V, p. 59.)

35. P. Claudel, 1913, p. 35 ; id. 1951, p. 7.

36. Morhardt, 1898, p. 734.

37. Dans l'exposition *Le Japonisme* (Paris/Tōkyō 1988), *La Vague* a été rapprochée des *Tourbillons de Naruto* d'Utagawa Hiroshige cf. pp. 208, 263 **(Cat 47)**, 291 **(Cat 280)**, 313, 314.

38. Morhardt, 1898, pp. 743-744.

39. Dawson, 1984, p. 67.

40. Cassar, 1987, p. 236, nº 2.

41. P. Claudel, 8 décembre 1937 [1965], p. 1277.

42. Mugnier, 14 septembre 1915 [1985], pp. 291-292.

43. P. Claudel, 17 décembre 1937 [1965], pp. 1281-1282.

44. Chastenet, 1963, pp. 5 à 20.

45. P. Claudel, 8 décembre 1937 [1965], p. 1275.

46. Reine Marie Paris (1984, pp. 89-90) rappelle la chronologie de 1913 :
« Mardi 4 mars : enterrement à Villeneuve. Camille non prévenue est absente.

Mercredi 5 mars : P. Claudel rencontre le docteur Michaux dont le cabinet se trouve au 19, quai Bourbon. Ce dernier lui délivre un certificat médical, conformément à la loi de 1838, qui autorise l'internement.
Vendredi 6 mars : P. Claudel rencontre le directeur de Ville-Evrard qui a déjà en sa possession le certificat du médecin. Il suggère une correction dans le texte.
Samedi 7 mars : P. Claudel écrit au médecin pour lui faire parvenir le certificat corrigé afin de faire procéder à l'internement le jour même. Le certificat n'étant pas parvenu à temps, Camille passe son dernier dimanche à Paris.
Lundi 10 mars : Camille est internée. »

46 bis. C'est en 1973 que J. Cassar commença son enquête.

47. Question ainsi formulée par Balzac dans *Seraphita* en 1835 : « Comprends-tu par cette pensée visible la destinée de l'humanité. D'où vient-elle ? Où va-t-elle ? »
Le Pichon, 1986, p. 214. Balzac [1980], p. 754.

48. Reeves, émission radiodiffusée par la maison de la Culture de Reims, tandis que je rédigeais ce texte, en août 1987.

49. Charlier, 1936, p. 175.

50. Péguy, 1900, 3 juillet.

51. Vauxcelles, 1905.

52. Variation du *Dieu envolé* cf Alain-Fournier, 11 juin 1907, chapitre V, p. 59.

53. Ainsi les deux œuvres de Camille Claudel sont parties dans le Midi de la France quelques mois avant elle, pour ne revenir près de Villeneuve-sur-Fère et à Paris que dix-neuf ans après sa mort.

54. Cassar [1987], p. 360.

55. Encore récemment à Lyon, le 1er décembre 1985, reproduit dans la *Gazette de l'hôtel Drouot*, n. 41, 22 novembre 1985.

56. Cf. note 5.

57. Paris, 1984, p. 105.
Fritz Thaulow possédait deux œuvres de Camille Claudel. Elles ont figuré à sa vente du 6 mai 1907 :
nº 173 *Les Causeuses* marbre (acquises 500 F par F. Vouters)
nº 174 *Buste de fillette* (acquis 930 F par E. Blot éditeur).

58. Daudet, 1937, pp. 5, 7, 14, 15.

59. Colette, *La Retraite sentimentale*, 1907 [1973], p. 184.

60. Rimbaud, *Les Illuminations* 1872-73 publiées pour la première fois en 1886 [1942], p. 176.

61. Première bibliothèque populaire de prêt, fondée à Paris en 1862 à l'initiative de l'association philotechnique.

62. Lettres conservées par le petit-fils de Jessie Lipscomb auquel nous renouvelons nos remerciements ici, pour avoir consenti à cette publication.

63. Gauchez est critique d'art. En 1886, les liens de cette revue sont importants avec la Grande-Bretagne. Paul Leroi, pseudonyme de Léon Gaucherel, directeur de *l'Art*, dont Alphonse de Rothschild est l'un des propriétaires, dédie son Salon de 1886 (sculpture) à « M. W.E. Henley rédacteur en chef de Magazine of Art à Londres ». Alphonse de Rothschild, de son côté contribue à la diffusion de l'œuvre de C. Claudel par ses achats suivis de dons aux musées de province, précédé par Nathaniel de Rothschild qui donna en 1887 le buste de *Louise de Massary* au Musée de Clermont-Ferrand. Don A. de Rothschild :
1892 *Giganti*, bronze, Lille.
1893 *Psaume*, bronze, Abbeville.
1896 *Petite Châtelaine*, bronze, Beaufort-en-Vallée.
1897 *Mon frère*, bronze, Avignon.
1899 *Mon frère*, bronze, Toulon.
1900 *Mon frère*, bronze, Tourcoing (dépôt à Calais).
1901 *Femme de Gérardmer*, dessin, Honfleur.
1902 *Giganti*, bronze, Cherbourg.
1903 *Paul Claudel à treize ans*, bronze, Châteauroux.
? *Rêve au coin du feu*, marbre, Draguignan.
Ces onze dons de la famille de Rothschild et les dix dessins reproduits dans *l'Art* (cf. note 66) montrent que C. Claudel a reçu plus d'appuis que d'autres artistes de son temps.

64. Paris, 1984, p. 111, note 29.

65. Jessie Lipscomb exposait à la Royal Academy, un buste en terre cuite, n° 1759, *Day-Dreams*. Je remercie Philip Ward-Jackson de cette information.

66. Camille Claudel a eu trois figures publiées par *l'Art* en 1886, t. XLI, 65, 66, 67, quatre planches en 1887, t. XLII, 28, 148, 178, 188, deux figures en 1888, t. XLIII, p. 233, celle de son frère (Fig 29) t. XLIV, p. 213, et une en 1894, pl. 252. L. Gauchez a publié deux comptes rendus dans *l'Art* en 1886 et cinq en 1887, mais aucun ne se rapporte à Camille.

67. Dessins de Camille publiés en 1887, cf. note précédente, et article de Paul, en 1889 (Fig 32).

68. Claudel s'est inspiré de cette sculpture pour un chapitre de *la Rose et le Rosaire* écrit en octobre 1940 « Assise et qui regarde le feu ». Note de Jacques Petit.

69. Romain Rolland qui n'appréciait pas *l'Age mûr* : « ...le groupe a de grandes qualités : de la force, une impétuosité de vague qui se rue, de la passion, de la tristesse, mais un goût vraiment trop décidé de la laideur et je ne sais quoi de mou dans la nervosité, de lâché, d'improvisé, qui est un peu la caricature du génie de Rodin » *La Revue de Paris,* 1er juin 1903.

70. Il ne s'agit pas de la vraie mort de Saint-Marceaux survenue en 1919. Serait-ce une allusion au Salon de 1894 où il n'exposa que trois œuvres après en avoir exposé cinq au Salon de la Société nationale des Beaux-Arts de 1893 ou une allusion au « lâchage » de Rodin par Pompon au profit de Saint-Marceaux ? Camille Claudel quitte le 113, bd d'Italie pour le 11 avenue de la Bourdonnais en 1890, le 63, rue de Turenne en 1896, et le 19, quai Bourbon en 1899.

71. François Pompon a été le sujet de notre mémoire d'Ecole du Louvre, sous la direction de Mme C. Goldscheider. Il a été soutenu le 12 janvier 1988. Mme Goldscheider est décédée en août 88.

72. Tillier, 1987, p. 46.

73. Id., 1987, pp. 53-54.

74. Id., 1987, p. 75.

75. Cassar consacre un chapitre à « l'affaire Cakountala » : En octobre 1895, le modèle est offert au musée par M. G. Lenseigne, au nom de Mlle Claudel qui se rend à Châteauroux en novembre suivant : « L'artiste a été très flattée de l'accueil qui lui était fait et a conseillé de placer son œuvre dans un des angles de la grande salle. » Une polémique s'ensuivit, cf. Cassar [1987], pp. 123-155.

76. « Ma sœur prétendait avoir retrouvé le polissage en usage du temps de Bernin : avec un os de mouton. »
P. Claudel, 1951, p. 11.

77. Judith Cladel, cite le témoignage suivant : « Maillol dit qu'elle est un des rares sculpteurs, qui taille lui-même ses œuvres dans le marbre. »
Cladel, 1950, p. 227.

78. Il s'agit d'Eugène Blot, éditeur, marchand, mais aussi trésorier de la Société des Amis du musée du Luxembourg qui fut d'un grand secours pour C. Claudel. C'est dans ses galeries qu'ont été organisées les expositions de 1905 et 1907. C'est lui qui intervint auprès de la Direction des Beaux-Arts en 1905 en faveur de cette « femme malheureuse dont beaucoup envient le grand talent mais dont personne ne s'occupe ». (Arch. nat. F21 4299). Il édita en six exemplaires la *Jeunesse* et *l'Age mûr*. Sans doute s'agit-il de l'édition en réduction dont Reine-Marie Paris a retrouvé un exemplaire. *L'Imploration* fut fondue seule en vingt épreuves dans la dimension originale et en cent épreuves en réduction. Cf. Pingeot, 1982, p. 295 note 24. Il faut lire les neuf lettres, pleines d'esprit, que C. Claudel écrivit à Eug. Blot dans J. Cassar [1987], pp. 411-416.

79. Manuscrit conservé à la Bibliothèque.
Marguerite Durand, s. d. ap. 1898.

80. P. Claudel, 1913, p. 35.

81. P. Claudel, 1951, p. 10.

82. P. Claudel, 1913, p. 16.

83. Le Normand-Romain, dans exp. 1986, Paris, pp. 268 à 285.

84. Paul Dubois, *Tombeau du Général Lamoricière* (1878), Nantes, cathédrale. Alix Marquet, *Imploration*, plâtre, Salon de 1901, n° 3379 ; nous pourrions ajouter la statue de *Marguerite de Crevecœur* par Philippe de Buyster (vers 1630), Paris, Louvre, le *Tombeau du duc d'Harcourt* par Pigalle (1771) Paris, Notre-Dame ou encore *l'Ange* (1838) de Marie d'Orléans au tombeau du duc d'Orléans, Paris, chapelle St-Ferdinand.

85. Chavanne, Gaudichon, Reau, Redien-Alessio, 1985.

86. Tous les noms cités se retrouvent, avec le titre complet de l'ouvrage, dans la *Bibliographie*, p. 81.

87. Cassar depuis 1973 [1987] ; Delbee, 1982 ; Pingeot, 1982 ; Rivière, 1985 ; Paris, 1984.

88. Legardinier et Montellier, 1988.

Annexes

ANNEXE I
Lettres de Camille Claudel à Louis Tissier (1899-1902)
(Cat 17)

Dix lettres ont déjà été publiées dans la *Revue du Louvre* (1982, n° 4, note 12, pp. 294-295). Ne figurent ici que les cinq lettres encore inédites.

10 juin 1899

Enveloppe datée du 10 juin 1899, adressée à :
Monsieur le capitaine Tissier
Gouvernement militaire de Paris
Commandement du génie
39, rue de Bellechasse
EV

« Monsieur,
Je suis très touchée de l'admiration que vous témoigniez pour mon art d'autant plus qu'elle me vient d'un officier qui je le sais dit toujours franchement sa pensée. Vous connaissant déjà par là et sachant que vous êtes l'ami de mons. Lhermitte je voudrais pouvoir vous faire un prix très doux malheureusement, ma sculpture me coûte à moi fort cher et ce sont presque toujours mes ouvriers qui en ont le bénéfice. La fonte en bronze de la femme à genoux, à cause de plusieurs coupes à faire sera très difficultueuse et je ne crois pas pouvoir vous la donner à moins de 500 F. Je regrette de ne pouvoir faire mieux pour l'armée et j'ai l'honneur en attendant votre réponse de vous présenter mes civilités.
Camille Claudel. 19 quai Bourbon
Mon père me demande si vous n'êtes pas le fils du général Tissier qui fut son camarade au collège de Remiremont. »

5 août 1899

Enveloppe datée du 5 août 1899, adressée à :
Monsieur le capitaine Tissier
Gouvernement militaire de Paris
39, rue de Bellechasse
EV

« Monsieur,
Je pourrais vous céder un exemplaire de la femme à genoux faiant partie de mon groupe l'*Âge mûr*, plâtre 150 F.
Quant aux autres parties du groupe, je n'en signe pas de moules et ne pourrais pas en tout cas vous en donner.
Recevez, Monsieur, avec mes remerciements d'avance, l'assurance de ma haute considération.
Camille Claudel. 19 quai Bourbon. »

10 janvier 1902

Enveloppe adressée à :
M. le Capitaine Tissier
Officier d'ordonnance du général Dubois
46, avenue de St Mandé - Paris XII
« 10 janvier 1902
Mon cher capitaine,
Je serais heureuse si vous vouliez bien me donner un accompte sur la petite tête que vous m'avez commandée en bronze, elle sera prête bientôt et bien fondue je vous assure.
Je dois m'absenter samedi prochain pour aller voir mon père qui est très malade, je resterai à Fère-en-Tardenois jusqu'au samedi suivant.
J'espère qu'alors vous tiendrez votre promesse de venir voir ma grande statue.
Je vous envoie mes sincères amitiés.
Camille Claudel. 19, quai Bourbon »
Lettre annotée :
« soldé aujourd'hui 10 janvier à Melle Claudel 150 F pour prix total du bronze. »

16 mars 1902

Enveloppe adressée à :
Monsieur le Capitaine Tissier
Aide de camp du général Dubois
46 avenue de St Mandé
EV

« 16 mars 1902
« Cher Monsieur,
Je vois avec plaisir que vous vous occupez du placement de mes œuvres mais réussirez-vous ?
Je ne puis laisser la femme à genoux en bronze que

vous possédez moins de 400 F c'est le prix que m'a coûté la fonte ; et puis êtes vous sûr que cette figure plaira aux gens de province ?

Je vous conseille d'aller voir chez Blot 5 boul' de la Madeleine, ma *Tête de Brigand* bronze admirablement réussi avec cheveux tout au jour que vous pourrez apprécier vous qui êtes maintenant au courant de la fonte ; j'ai donné l'ordre à ce marchand de la laisser pour 600 F (c'est pour rien, mais j'ai tellement besoin d'argent *en ce moment* pour terminer ma grande statue ! Je laisserais aussi ma petite *fortune* en plâtre telle qu'elle et sans retouche pour 190 F : voyez donc secouer les rentiers de vos connaissances !... quoique ce soit dur !... Ne m'en voulez pas trop.

Recevez mes sincères amitiés.

C. Claudel. »

31 mai 1902

« Reçu de M. le capitaine Tissier la somme de cinq cents francs prix d'une figure en bronze vendue à un de ses amis.

Le 31 mai 1902
C. Claudel. »

ANNEXE II
Autour d'une génération

			Âges respectifs		
		1891	1900	1913	1943
Auguste RODIN	1840-1917	51	60	73	-
Léon LHERMITTE	1844-1925	47	56	69	-
Auguste LONGNON	1844-1911	47	56	-	-
Paul GAUGUIN	1848-1903	43	52	-	-
Arthur RIMBAUD	1854-1891	37	-	-	-
Claude DEBUSSY	1862-1918	29	38	51	-
Louis TISSIER	1863-1947	28	37	50	80
Camille CLAUDEL	**1864-1943**	**27**	**36**	**49**	**79**
Philippe BERTHELOT	1866-1934	25	34	47	-
Paul CLAUDEL	1868-1955	23	32	45	75
Henry BORDEAUX	1870-1963	21	30	43	73
Rainer-Maria RILKE	1878-1926	13	22	35	-
Gaston GALLIMARD	1881-1975	10	19	32	62
Jean GIRAUDOUX	1882-1944	9	18	31	61
ALAIN-FOURNIER	1886-1914	5	14	27	-
Jacques RIVIÈRE	1886-1925	5	14	27	-

Sources et bibliographie

ALAIN-FOURNIER, RIVIÈRE (Jacques) : *Correspondance,* t. II 1905-1914, Paris, Gallimard, 1926.

ANONYME : « La femme moderne par elle-même », *Revue encyclopédique Larousse,* 28 novembre 1896, pp. 841-895.

ANONYME : « Camille Claudel », *Elle,* 27 février 1984.

BALZAC (Honoré de) : *Séraphita,* 1835, Paris, La Pléiade, t. XI, Gallimard, 1980.

BARBIER (Nicole) : *Marbres de Rodin. Collection du Musée,* Paris, Musée Rodin, 1897.

BAUDELAIRE (Charles) : *Œuvres complètes,* Paris, La Pléiade, Gallimard, 1976.

BAUER (Gérard) : « Arthur Rimbaud », *Historia* n° 242, janvier 1967, pp. 120-131.

BIGAND-KAIRE : *Correspondance,* Archives du Musée Rodin (manuscrits).

BODIN (Thierry), 45, rue de l'Abbé-Grégoire : *Catalogue d'autographes,* noël 1983, n° 20.

BORDEAUX (Henry) : *Andromède et le monstre,* Paris, Plon, 1928.

BUTLER (Ruth) : voir exp. 1980 Los Angeles.

BYVANCK (W.G.C.) : *Un Hollandais à Paris en 1891. Sensations de littérature et d'art,* Paris, Perrin et Cie, 1892.

CARRE (Jean-Marie) : *La Vie aventureuse de Jean Arthur Rimbaud,* Paris, Plon, 1926.

CASO (Jacques de), SANDERS (Patricia B.) : *Rodin's sculpture A Critical Study of the Spreckels Collection California Palace of the Legion of Honor,* The Fine Arts museum of San Francisco, 1977.

CASSAR (Jacques) : *Dossier Camille Claudel,* Paris, Librairie Seguier/Archimbaud, 1987 (posthume).

CHABRUN (Jean-François) : voir DESCHARNES.

CHAMPIGNEULLE (Bernard) : *Rodin,* Paris, A. Somogy, 1980.

CHARLIER (Henry) : « L'esprit sculptural », *L'Art sacré,* n° 12, juin 1936, pp. 175-180.

CHASTENET (Jacques) : « Le Département des Affaires étrangères du Louvre au quai d'Orsay », *Les Anales,* juillet 1963, pp. 5-20.

CHAVANNE (Blandine), GAUDICHON (Bruno), REAU (Marie-Thérèse), REDIEN-ALESSIO (Maryse) : *Catalogue des Sculptures des XIXe et XXe siècles dans les collections des musées de la ville de Poitiers et de la Société des Antiquaires de l'Ouest,* 1983.

CLADEL (Judith) : *Rodin, sa vie glorieuse, sa vie inconnue,* Paris, Grasset, 1950.

CLAUDEL : voir aussi SERVAN, 1889.

CLAUDEL (Paul) : « Camille Claudel statuaire », *Occident,* août 1905, repris dans *L'Art décoratif,* n° 193, juillet 1913, pp. 5-50 avec 47 illustrations.

CLAUDEL (Paul), GIDE (André) : *Correspondance 1899-1926,* Paris, Gallimard, 1949.

CLAUDEL (Paul) : voir exp. 1951, Paris.

CLAUDEL (Paul) : *Rodin ou l'homme de génie,* sept.-oct. 1905, *Philippe Berthelot* (I. « Le Serviteur de l'Etat : un seigneur », 8 décembre 1937, II. « Il n'y a rien », 17 décembre 1937, III. « Sa récompense », 2 janvier 1938, « Consolations à moi-même sur la mort d'un ami », 1934), *Œuvres en prose,* Paris, La Pléiade, Gallimard, 1965, pp. 285-288 ; pp. 1274-1292.

CLAUDEL (Paul) : *Journal,* I. 1904-1932, II. 1933-1955, Paris, La Pléiade, Gallimard, 1968.

CLAUDEL (Paul), MAURIAC (François) : *Chronique du Journal de Clichy,* Claudel - Fontaine Correspondance, Paris, Les Belles Lettres, 1978.

Paul Claudel, Livret accompagnant la cérémonie à Notre-Dame de Paris pour le centenaire de sa conversion, 21 décembre 1986.

CLEBERT (Jean-Paul) : *Une famille bien française. Les Daudet 1840-1940,* Paris, Presses de la Renaissance, 1988.

COLAS (Liliane) : *François Pompon. Sa vie, son œuvre. Le grand sculpteur animalier du XXe siècle,* Paris, Mémoire d'Ecole du Louvre, soutenu le 12 janvier 1988 (Manuscrit).

COLETTE : *La Retraite sentimentale* (1907), Paris, Flammarion édition du centenaire, 1973, vol. 2, pp. 137-263.

COQUIOT (Gustave) : *Renoir,* Paris, Albin Michel, 1925.

COURNOT (Michel) : « Elimination d'une femme », *Le Monde,* 1er mars 1894.

DAUDET (Léon) : *Phryné* ou *Désir et Remords,* Paris, Flammarion, 1937.

DAWSON (Brett) : « Jean Giraudoux et Philippe Berthelot », *Cahiers,* 1964, -13, pp. 67-91.

DEBUSSY (Claude) : *Lettres à deux amis,* 78 lettres inédites à Robert Godet et G. Jean Aubry, Paris, Corti, 1942.

DELBÉE (Anne) : *Une femme,* Paris, Presses de la Renaissance, 1982.

DESCHARNES (Robert) et CHABRUN (Jean-François) : *Auguste Rodin,* Lausanne, Edita, 1967.

ELSEN (Albert E.) : *Rodin,* The Museum of modern art, New York, 1963.

ELSEN (Albert E.) : voir exp. 1981, Washington.

FAUCHEREAU (Serge) : « De la sculpture au roman-photo », *Révolution,* 18 mai 1984.

FAYARD (Jeanne) : cf Cassar.

FLAGMEIER (Renate) : « Camille Claudel, Bildhauerin », *Kritische Berichte* 1-1988, pp. 36-45.

FORT (Paul) : *Naufrage sous l'arc-en-ciel,* La France à travers les ballades fançaises, typ. Armand Jules Klein, sd.

Francis (Eve) : *Un autre Claudel*, Paris, Grasset, 1973.

Fusco (Peter) : voir exp. 1980, Los Angeles.

Gaudichon (Bruno) : voir exp. 1984, Paris-Poitiers.

Geffroy (Gustave) : « Salon de 1892 », *La Vie artistique*, 1893, pp. 261-346 ; « Salon de 1893 », id., 1894, pp. 300-386 ; « Salon de 1894 », id. 1895, pp. 85-203 ; « Salon de 1895 », id., 1895, pp. 204-326 ; « Salon de 1898 », id., 1900, pp. 317-389 ; « Salon de 1899 », id., 1900, pp. 390-445 ; « Souvenirs de l'exposition de 1900 », id., 1901, pp. 1-348.

Giraudoux (Jean) : *Bella*, Paris, B. Grasset, 1926.

Godet (Henri) : « Le Salon d'Automne ». La Sculpture », *L'Action*, 15 oct. 1904 ; « Causeries du Casseur de pierre », id., 1er novembre 1904.

Godet (Robert) : voir Debussy.

Goncourt (Edmond et Jules de) : *Journal, Mémoires de la vie littéraire,* Paris, Fasquelle-Flammarion, 4 tomes, 1956.

Grappe (Georges) : *Catalogue du Musée Rodin*, I. Hôtel Biron, Paris, 2e éd., 1929, 5e éd., 1944.

Grimal (Pierre) : *Dictionnaire de la Mythologie grecque et romaine*, Paris, P.U.F., 1986.

Grunfeld (Frederic V.) : *Rodin. A biography,* New York, Henry Holt & Cy, 1986.

Gsell (Paul) : « Un poète de la chair; le sculpteur Jules Desbois », *La Renaissance de l'art français et des industries de luxe*, 1922, pp. 382-389.

Id., « Un maître : le grand sculpteur Jules Desbois est mort hier », *Comoedia*, 4 octobre 1935.

Guichard (Léon) : *Renard*, Paris, Gallimard, 1961.

Guillot (Jacqueline) : *Victor Peter sculpteur*, 1840-1918, Paris IV, Mémoire de maîtrise, soutenu le 2 mai 1988 (manuscrit).

Hanotelle (Micheline) : *Paris/Bruxelles Rodin et Meunier relations des sculpteurs français et belges à la fin du XIXe siècle*, Le Temps, Paris, 1982.

Ibsen (Henrik) : *Quand nous nous réveillerons d'entre les morts*, 1899, Paris, Perrin & Cie, repris dans *L'Avant-scène*, n° 599, 1er décembre 1976.

Janson (Horst W.) : voir exp. 1980, Los Angeles.

Janson (Horst W.) : 1984, voir Rosemblum.

Kahn (Gustave) : « Camille Claudel », *Le Siècle,* 29 décembre 1905.

Kuthy (Sandor) : voir exp. 1985, Berne.

Lacambre (Geneviève) : voir exp. 1988, Paris.

Lampert (Catherine) : voir exp. 1986, Londres.

Laurent (Monique) : voir exp. 1984, Paris.

Legardinier Montellier (Claudine) : « Le feu à la forêt, Camille Claudel : une femme en enfer », *A Suivre,* janvier 1988.

Le Normand-Romain (Antoinette) : « De la mort paisible, à la mort tragique », « Le Symbolisme », voir exp. 1986, Paris, pp. 268-285 et 380-392.

Léopold-Lacour (Mary) : *Le Chemin de la Vie ou Un génie en danger*, Paris, Bibliothèque Marguerite Durand, sd. (Manuscrit).

Le Pichon (Yann) : *Sur les traces de Gauguin*, Paris, R. Laffont, 1986.

Lesure (François) : *Claude Debussy. Lettres : 1884-1918*, Hermann, 1980.

Marx (Roger) : « Les Salons de 1899 », *Revue Encyclopédique Larousse*, n° 306, 15 février 1899.
id., *Auguste Rodin* céramiste, Paris, Société de propagation des Livres d'art, 1907.

Matisse (Henri) : *Ecrits et propos sur l'art*, Hermann, 1972.

Maubert (Franck) : « Camille Claudel, L'humiliée », *L'Express*, 16 mars 1984.

Michel (André) : « Promenade aux Salons. III », *Feuilleton du Journal des Débats*, 12 mai 1903.

Mirbeau (Octave) : « Ça et là », *Le Journal*, 12 mai 1895, repris en 10-18, 1986.
id., *Correspondance avec Auguste Rodin*, Du Lérot, Tusson, Charente, 1988.

Monchablon (Marie Ange) : *Carnet Parcours du Musée d'Orsay n° 6. Autoportraits*, Paris, RMN, 1986.

Morand (Eugène) : *Lettre au ministre de l'Instruction publique et des Beaux-Arts*, 15 octobre 1907, Archives nationales, F21 4189. (Manuscrit)

Morand (Paul) : « Paul Claudel » *Mon plaisir... en littérature*, Paris, Gallimard, 1967.

Morhardt (Mathias) : « Mlle Camille Claudel », *Mercure de France*, mars 1898, pp. 709-755.
Id., *Lettres à Rodin*, 5 et 25 juin 1914, Paris, Archives du Musée Rodin (manuscrit).
Id., *Lettres à Judith Cladel*, 7 décembre 1929, 18 et 19 août 1934, Bloomington, Manuscripts Department, Lily Library, Indiana University (manuscrit).

Morice (Charles) : « Art moderne. Expositions », *Mercure de France*, 15 décembre 1905, pp. 609-610.

Mugnier (L'Abbé) : *Journal*, 1879-1939, Paris, Mercure de France, 1985.

Nantet (Marie-Victoire) : « Camille Claudel : un désastre "fin de siècle" », *Commentaire*, n° 42, été 1988, pp. 534-543.

Oulmont (Charles) : *La musique de l'amour*, 1935.

Paris (Reine Marie) : *Camille Claudel*, Paris, Gallimard, 1984.

Paris (Reine Marie) : voir exp. 1987, Tōkyō-Washington.

Peguy (Charles) : *Cahiers de la Quinzaine*, mardi 3 juillet 1900.

Pingeot (Anne) : « Le chef-d'œuvre de Camille Claudel : l'Age mûr », *Revue du Louvre*, 1982, n° 4, pp. 287-295.

Pingeot (Anne) : voir exp. 1986, Paris.

Pozzi (Catherine) : *Journal 1913-1934*, Paris, Ramsay, 1987.

Reeves (Hubert) : interview radiodiffusée en août 1987 depuis la maison de la culture de Reims.

REVAL (Gabrielle) : « Les artistes femmes au Salon de 1903 », *Femina*, n° 55, Paris, 1er mai 1903, pp. 519-521.

RILKE (Rainier Maria) et ANDREAS SALOME (Lou) : *Correspondance*, Paris, Gallimard, 1979.

RIMBAUD (Arthur) : *Les Illuminations : II Poèmes en prose*, L'Aube, 1872-73, dans *Œuvres complètes*, Paris, Ed. de Cluny, 1942, p. 176.

RIVIERE (Anne) : *L'interdite. Camille Claudel 1864-1943*, Ed. Tierce, 1983.

RODIN (Auguste) : *Auguste Rodin et son œuvre*, Paris, Numéro spécial, Ed. de *La Plume*, 1900.

RODIN (Auguste) : *Correspondance de Rodin*, t. I 1860-1899 ; t. II 1900-1907 ; t. III 1908-1912, Paris, Ed. du Musée Rodin, 1985-1987.

ROLLAND (Romain) : « Les Salons de 1903 », *La Revue de Paris* 1er juin 1903, p. 667.

ROSENBLUM (Robert) JANSON (Horst W.) : *Art of the nineteenth century* Painting and sculpture, Londres, Thames and Hudson, 1984.

ROSSET (Pierrette) : « Le mystère Camille Claudel », *Elle*, 30 avril 1984.

SANDERS (Patricia B.) : voir Caso.

SCOTTEZ (Annie) : voir exp. 1982, Calais.

SERVAN (Pierre) (= Paul CLAUDEL) : « Dans l'Ile de Wight », *La Revue Illustrée*, 1er août 1889, pp. 108-112.

TANCOCK (John L.) : *The sculpture of Auguste Rodin. The collection of the Rodin museum Philadelphia*, Philadelphia Museum of Art, Boston, 1976.

TILLIER (Bertrand) : *Ernest Nivet sculpteur*, Châteauroux, 1987.

TIREL (Marcelle) : *Rodin intime ou L'envers d'une gloire*, Paris, 1923.

VARENNES (Fr. des) : *Camille Claudel Une artiste intègre*. Communication à l'Académie des Beaux-Arts, Paris, juin 1987 (publiée).

VAUXCELLES (Louis) : voir exp. 1905 et 1907, Paris.

VERSTRAETE (Daniel) : « *Les Illuminations* » : *La chasse spirituelle d'Arthur Rimbaud*, Paris, Ed. du Cerf, 1980.

VILLON (François) : *Les œuvres de François Villon*, publiées avec une notice par Auguste Longnon, Paris. A l'enseigne de la Cité des Livres, 1926.

WIESINGER (Véronique) : « Jules Desbois (1851-1935) sculpteur de talent ou imitateur de Rodin ? », *Bulletin de la Société d'Histoire de l'Art Français*, 1987, pp. 315-330.

Expositions

1889
PARIS, Galerie Georges Petit : *Claude Monet, A. Rodin*, introduction de Gustave Geffroy.

1905
PARIS, Galerie Eugène Blot, 5, bd de la Madeleine : *Œuvres de Camille Claudel et de Bernard Hoetger*, 4-16 décembre.

1907
PARIS, Galerie Eugène Blot, 11, rue Richepanse : *Sculptures nouvelles par Camille Claudel et peintures par Manguin, Marquet, Puy*, 24 octobre-10 novembre.

1951
PARIS, Musée Rodin : *Camille Claudel*, novembre-décembre.

1980
LOS ANGELES, County Museum : *The Romantics to Rodin*, French Nineteenth Century Sculpture from North American Collections, 4 mars-25 mai ; Minneapolis Institute of Arts, 25 juin-21 septembre ; The Detroit Institute of Arts, 27 octobre 1980-4 janvier 1981 ; Indianapolis Museum of Art, 22 février-29 avril.

1981
WASHINGTON, National Gallery of Art : *Rodin rediscovered*, juin 1981-mai 1982.

1982
CALAIS, Musée des Beaux-Arts : *De Carpeaux à Matisse, La Sculpture française de 1850 à 1914 dans les musées et les collections publiques du nord de la France*, 18 mars-6 juin ; Lille 12 juin-19 sept. ; Arras 1er oct.-22 nov. ; Boulogne-s/Mer 5 déc.-30 janv. 1983 ; Paris, Musée Rodin mars-avril 1983, pp. 154-160.

PARIS, Bibliothèque nationale, *Jean Giraudoux. Du réel à l'imaginaire*.

1984
PARIS, Musée Rodin : *Camille Claudel (1864-1943)*, 15 février-11 juin ; Poitiers, Musée Sainte-Croix, 26 juin-15 septembre.

1985
BERNE, Kunstmuseum : *Camille Claudel - Auguste Rodin Dialogues d'artistes - résonances*, 16 mars-19 mai.

1986
CANNES, Salons de la Malmaison : *Grands maîtres de la sculpture : Mémoire d'une collection*, 12 juillet-21 septembre.

1986
PARIS, Galeries nationales du Grand Palais : *La sculpture française au XIXe siècle*, 10 avril-28 juillet.

1986
LONDRES, Hayward Gallery : *Rodin*, novembre 1986-février.

1987
TŌKYŌ, Tokyu Gallery of Art, Shibuya : *Camille Claudel*, 28 août-16 septembre ; Sapporo, Tokyo Gallery of Art, 8-20 octobre ; Kurume, Ishibashi Museum of Art, 30 octobre-29 novembre ; Yokohama, Sogo Museum of Art, 20 janvier-7 février 1988 ; Osaka, Daimaru Gallery of Art, 16-28 mars ; Washington, The National Museum of Women in Arts, 25 avril-31 mai.

1988
PARIS, Galeries nationales du Grand Palais : *Le Japonisme*, 17 mai-15 août ; Tōkyō, Musée d'Art occidental, 23 septembre-11 décembre.

LISTE DES ŒUVRES EXPOSÉES

Sculptures

Camille CLAUDEL
(Fère-en-Tardenois, 1864 — Montfavet, 1943)

1
Torse de Clotho, 1893
Epreuve plâtre, n.s.n.d.
0,445 × 0,25 × 0,14 m
Préempté en vente publique, Paris, Hôtel Drouot, 18 mars 1988
Paris, musée d'Orsay
Inv. R.F. 4216

2
Clotho, 1893
Modèle plâtre, n.s.n.d.
0,99 × 0,493 × 0,430 m
Paris, Salon S.N.B.A. 1893, n° 38 : « Clotho figurette plâtre » ; Paris.
Salon S.N.B.A. 1899 « Clotho (la Parque qui répand le fil de la vie) statuette marbre (appartient au Comité Puvis de Chavannes) »
Don Paul Claudel, 1952
Paris, musée Rodin
Inv. S 1379

3
Tête de femme âgée
Bronze fondu en 1902. Au revers, à g. *Camille Claudel,* à d. *F. Rudier Fondeur Paris*
0,18 × 0,09 × 0,09 m
Paris, collection M.A. Tissier

4
La Valse, 1893-1905
Petit groupe bronze.
Sur le rocher, sous le pied d. de l'homme : *C. Claudel*
Au-dessous, poinçonné en creux. Eug Blot/Paris/5
0,46 × 0,33 × 0,19 m
Plâtre : Paris, Salon S.N.B.A. 1893, n° 37 « La Valse groupe plâtre (appartient à M. Siot-Decauville) »
Collection particulière

5
Le Dieu envolé, 1894
Modèle plâtre. Sur le socle : *C. Claudel*
0,72 × 0,38 × 0,56 m
Paris, Salon S.N.B.A. 1894, n° 135 : Le Dieu envolé statuette plâtre
Collection particulière

6
L'Age mûr, premier état vers 1894
Modèle plâtre, n.s.n.d.
0,87 × 0,995 × 0,525 m
Don Paul Claudel, 1952
Paris, musée Rodin
Inv. S 1378

7
L'Age mûr, état définitif
Ire épreuve bronze.
Sur la terrasse, grand côté à d. *C. Claudel.*
Sur le revers de la vague *Thiebaut Frères/Fumière & Gavignot. Suc/Paris/Ire épreuve*
1,14 × 1,63 × 0,72 m
Paris, Salon S.N.B.A. 1899, n° 28 « L'Age mûr (groupe fantastique) plâtre (appartient à l'Etat) » ; Paris Salon S.A.F. 1903, n° 2658 « L'Age mûr groupe bronze (appartient au capitaine Tissier) »
Acquis en 1982
Paris, musée d'Orsay
Inv. R.F. 3606

8
Tête de vieillesse, étude pour *l'Age mûr,* exposée en 1984 et 1987 sans cette identification
Plâtre n.s.n.d.
0,11 × 0,075 × 0,105 m
Collection particulière

9
Jules DESBOIS
(Parçay-les-Pins, 1851 - Paris, 1935)
La Misère
Statuette terre cuite.
Sur la g. du tertre : *J. Desbois.* Devant à d. *La Misère*
0,375 × 0,177 × 0,246 m
Acquis en 1954
Paris, musée Rodin
Inv. S 1150

Cat 8

10
Auguste RODIN
(Paris, 1840 - Meudon, 1917)
La Pensée
Statue marbre.
Signé à d. : *A. Rodin*
0,742 × 0,435 × 0,52 m
Composée à partir de 1886
Sculptée en marbre par Victor Peter de 1893 à 1895
Paris, Salon S.N.B.A. 1895, n° 100, Paris, Pavillon de l'Alma 1900, n° 96
Acquis en août 1896 par Mme Durand pour 7000 F. Don de Mme Durand au musée du Luxembourg, 1902 (Inv. LUX 155).
Dépôt au musée Rodin, 1919 (Inv. S 1003), musée d'Orsay, 1986
Paris, musée d'Orsay
Inv. R.F. 4065 et cat. Barbier, 1987, n° 36

11
Auguste RODIN
Celle qui fut la Belle Heaulmière
Statuette bronze.
Sur la grande terrasse à d. : *A. Rodin*
0,51 × 0,25 × 0,30 m
Paris, Salon S.N.B.A. 1890, n° 1296
Acquis par l'Etat, 1891, musée du Luxembourg 1892 (Inv. LUX 109) dépôt au musée Rodin, 1919
Paris, musée Rodin
(Inv. S 1148)

Dessin et estampes

12
Camille CLAUDEL
Le Collage
Plume et encre brune sur papier crème
N.s.n.d., vers 1894
0,21 × 0,262 m
Legs Rodin, 1916
Paris, musée Rodin
Inv. D 7634

13
Odette PAUVERT
(Paris, 1903 - Paris, 1966)
Louis Tissier
Médaillon rond, miniature à l'aquarelle
S.b.g. : *Odette Pauvert*
0,069 × 0,056 m
Paris, collection A. Tissier

14
Katsushika HOKUSAI
(1760-1849)
La Vague
Estampe
0,246 × 0,365 m
Paris, collection A. Tissier

Lettres

15
Camille CLAUDEL
Lettre à son frère Paul, ornée de six croquis, vers 1893
Paris, Société des manuscrits et autographes français

Cat 13

16
Camille CLAUDEL
Huit lettres à Louis Tissier, 1899-1902
Don de M.A. Tissier, 1982
Paris, bibliothèques et archives des musées nationaux
Inv. Ms 360

17
Camille CLAUDEL
Sept lettres à Louis Tissier, 1899-1902, *cf.* Annexe I
Paris, collection A. Tissier

18
Jeanne TISSIER
(Rethel, 1876 - Paris, 1969)
Lettre à son grand-père, 13 juin 1904
Paris, collection A. Tissier

19
Louis TISSIER
(Saint-Fargeau, 1863 - Paris, 1947)
Lettre à Paul Claudel, ambassadeur de France, 31 août 1943,
Paris, collection A. Tissier

20
Paul CLAUDEL
(Villeneuve-sur-Fère, 1868 - Paris, 1955)
Lettre à Louis Tissier, 7 septembre 1943
Paris, coll. A. Tissier

Documents

21
« La femme moderne par elle-même », *Revue encyclopédique Larousse,* 28 novembre 1896, pp. 841 à 895
Paris, bibliothèque des Arts décoratifs

22
Proposition et neuf reçus de la Maison Thiébaut frères, Fumière et Gavignot successeur, 28 février 1902 - 2 février 1903
Paris, collection A. Tissier

23
Plan de Tien-Tsin
Fragment
0,30 × 0,24 m
Paris, collection A. Tissier

24
Carnet de comptes de François Pompon (Saulieu, 1855 - Paris, 1933) 20 juillet 1884 - août 1908
0,312 × 0,13 m
Collection René Demeurisse, exécuteur testamentaire de François Pompon

25
Page de l'Art décoratif, juillet 1913, *reproduisant l'Imploration,* annotée par le général Tissier
Collection A. Tissier

Photographies

26
CESAR
Camille Claudel vers 1882
0,12 × 0,099 m
Legs Rodin, 1916
Paris, musée Rodin
Inv. Ph. 1029

27
Camille Claudel et Jessie Lipscomb
0,152 × 0,098 m
Legs Rodin, 1916
Paris, musée Rodin (reproduction interdite)
Inv. Ph. 1773

28
BERGERAT
Rodin en 1886
0,112 × 0,085 m
Legs Rodin, 1916
Paris, musée Rodin
Inv. Ph. 256

Cat 31

29
Jessie LIPSCOMB
Album de photographies dédicacé à Rodin sur le revers du 1er plat : « *A mon cher ami et grand maître Monsieur Auguste Rodin de son élève Jessie Lipscomb sept. 1er 1887* »
Album 0,254 × 0,20. 25 feuillets cartonnés (30 à l'origine), 10 photos collées pleine page. Dos et coins cuir vert foncé
Legs Rodin, 1916
Paris, musée Rodin
Inv. Ph. 1442 et 2395-2396

30
Maquette de livre sur Paul Claudel faite par H. Cartier-Bresson pour Pierre Braun et jamais réalisé
A) Atelier Carjat, Louis Prosper Claudel, 0,062 × 0,045 m
B) Louise Claudel née Cerveaux, 0,06 × 0,035 m
C) Camille Claudel 0,063 × 0,043 m
D) Atelier Carjat, Paul Claudel 0,162 × 0,113 m
E) Paul Claudel devant le château de Brangues, 0,166 × 0,12 m
Paris, bibliothèque nationale, cabinet des estampes

31
Louis Tissier au casque colonial en 1890
0,151 × 0,101 m
Paris, collection A. Tissier

32
Paul Claudel dans l'atelier de Camille avec son bicorne en 1892 ou 1893
Le « pendant », Camille avec le bicorne de son frère sur la tête, sera bientôt publié par Mme R.M. Paris
Contretype (reproduction interdite)
Paris, archives Paul Claudel

33
Claude Debussy au piano chez Chausson à Luzancy, 1892
Tirage original retouché sur le négatif et retouché au lavis violet sur le positif. Inscription sur le montage ancien, *août 1893*
Acquis en 1985
Paris, musée d'Orsay
Inv. PHO 1985-5

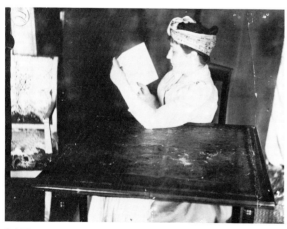

Cat 38

34
Claude Debussy au piano chez Chausson à Luzancy, 1892
Contretype
Centre de documentation Claude Debussy

35
Passeport diplomatique de Philippe et Hélène Berthelot,
28 septembre 1927
Berthelot caressant un chat. Au fond Cacountala de Camille Claudel
Paris, collection D. Langlois-Berthelot

36
François Pompon
(Saulieu, 1855 - Paris, 1933)
Photographie figurant au revers de sa carte d'exposant au
Salon des Artistes français de 1896
0,105 × 0,063 m
Auxerre, collection J. Julien

37
Eugène DRUET
(1868-1917)
La Jeunesse triomphante, 1894
Photographie, épreuve argentique
0,345 × 0,278 m

Signé sur le négatif par Druet en b. à g. et par Rodin b. centre
Cachet sec circulaire DRUET b.d. ; en rouge sur la marge b.d.
Phot Procédé DRUET., b.g. 920 ; cachet sec sur le montage
E. Druet 114, Faubourg-St-Honoré Paris
Acquis en 1988
Paris, musée d'Orsay

38
Camille Claudel au turban, lisant
0,12 × 0,18 m
Don de l'artiste ?
Paris, bibliothèque Marguerite Durand
Inv. 938

39
Camille Claudel modelant le Persée, vers 1900
0,18 × 0,12 m
Don de l'artiste ?
Paris, bibliothèque Marguerite Durand
Inv. 937

40
Louis Tissier lisant à côté de l'Implorante de l'Age mûr
(tenons sur la terrasse) à Nice, 117, rue de France, en 1935,
au-dessus photographie prise en Chine
0,093 × 0,064 m
Paris, collection A. Tissier

Cat 30 B

Couverture :
L'Age mûr, 1899-1903 (Cat 7)
Photo Musée d'Orsay (P. Schmidt)
César, *Camille Claudel* vers 1882
L'Art décoratif, 1913.

CRÉDITS PHOTOGRAPHIQUES

Bibliothèque nationale : Fig 20, 23 ; Cat 30 A à E, 15.
Bonnamour (Magdeleine) : Fig 1.
Brogi-Giraudon : Fig 8.
Bulloz : Fig 34.
Colas (Liliane) : Cat 24.
Durey (Philippe) : Fig 35.
Elborne (Robert) : Fig 18, 19 ; Cat 29.
Giraudon : Fig 8, 29, 40, 41.
Guillot (Jacqueline) : Fig 7 A-B.
Jarret (Bruno) : Fig 4, 26, 28 ; Cat 2.
Lampert (Catherine) : Cat 29.
Lauros-Giraudon : Fig 29, 40.
Mangin (Gilbert) : Fig 13.
Musée d'Angers : Fig 2.
Musée de Nancy : Fig 13.
Musée d'Orsay : Fig 3, 6, 9 à 12, 17, 20, 21 A-B, 22, 25, 30 à 32, 36 à 39, 42 ; Cat 7, 10, 11, 13, 14, 16, 22, 25, 33, 35 à 37, 40.
Musée Rodin : Fig 4, 26, 28 ; Cat 2, 12, 28, 29.
Pingeot (Anne) : Fig HC, 15, 23, 24, 27 ; Cat 2, 3 A-B, 6, 9, 11, 21.
Réunion des Musées nationaux : Fig 5, 14, 16 ; Cat 1, 7 A-B, 10.
Schaefer (Anne) : Cat 4, 5 A-B, 8.
Ville de Paris : Cat 38, 39.

Achevé d'imprimer en septembre 1988
sur les presses de Jacques London, Paris
Photogravure de Jacques London

Dépôt légal septembre 1988
I.S.B.N. : 2-7118-2-207-9
8005.025

Maquette de Jean-Pierre Rosier